MARIANA FAGUNDES AUSANI

O CÃO QUE NÃO CABIA EM SI

EDITORA Labrador

Copyright © 2021 de Mariana Fagundes Ausani
Todos os direitos desta edição reservados à Editora Labrador.

Coordenação editorial
Pamela Oliveira

Assistência editorial
Larissa Robbi Ribeiro

Projeto gráfico, diagramação e capa
Amanda Chagas

Preparação de texto
Lívia Lisbôa

Revisão
Leonardo Dantas do Carmo

Imagens de capa e miolo
Laura Fagundes de Oliveira

Dados Internacionais de Catalogação na Publicação (CIP)
Jéssica de Oliveira Molinari - CRB-8/9852

Ausani, Mariana Fagundes
 O cão que não cabia em si / Mariana Fagundes Ausani. — São Paulo : Labrador, 2021.
 176 p.

ISBN 978-65-5625-209-4

1. Ausani, Mariana Fagundes — Biografia 2. Relação humano-animal 3. Cães 4. Animais de estimação I. Título

21- 5028   CDD 923.72

Índice para catálogo sistemático:
1. Ausani, Mariana Fagundes — Biografia

EDITORA
Labrador

Editora Labrador
Diretor editorial: Daniel Pinsky
Rua Dr. José Elias, 520 — Alto da Lapa
05083-030 — São Paulo/SP
+55 (11) 3641-7446
contato@editoralabrador.com.br
www.editoralabrador.com.br
facebook.com/editoralabrador
instagram.com/editoralabrador

A reprodução de qualquer parte desta obra é ilegal e configura uma apropriação indevida dos direitos intelectuais e patrimoniais do autor. A Editora não é responsável pelo conteúdo deste livro.
Esta é uma obra de ficção.
Qualquer semelhança com nomes, pessoas, fatos ou situações da vida real será mera coincidência.

Para o cão que mal cabe nesta história, com a esperança de que seus latidos e orelhas alcancem vastos mundos e sua enorme pequenez extrapole as páginas do livro e viva novas aventuras.

Sumário

Prefácio 7
Capítulo 1: O gigante que cabia na palma da mão 9
Capítulo 2: Um atento cão de guarda 20
Capítulo 3: O suricate de apartamento 30
Capítulo 4: Um líder de matilha 42
Capítulo 5: A obstinação em forma de cachorro 52
Capítulo 6: O amor está no ar, ou melhor, na brisa 62
Capítulo 7: A cachorra sem pelos 73
Capítulo 8: A batalha perdida 81
Capítulo 9: O heroico cão de patas tortas 93
Capítulo 10: A ideia de jerico 104
Capítulo 11: A improvável dupla de opostos 114
Capítulo 12: A dupla desproporcionalmente imbatível .. 125
Capítulo 13: Uma indomável vontade de viver 135
Capítulo 14: Um cão bem-apessoado 149
Capítulo 15: Os dissabores do envelhecer 157
Capítulo 16: As rugas têm seus encantos 163
Capítulo (quase) 17: A poesia do (re)viver 167

Prefácio

Faz um bocado de anos. Mas eu lembro como se fosse há pouco. Foi numa tarde quente como hoje a primeira vez que peguei aquele bicho orelhudo e minúsculo nos braços. Menor que um palmo, ele me observava com olhos gigantes de medo. O mundo é apavorante quando a gente sabe que é pequeno e parece que qualquer movimento mais brusco pode nos esmagar. Eu era, assim como ele, meio filhote. E também pouco sabia da vida. Ainda não sei. Com ele ao lado, contudo, aprendi um tantão sobre sentir. Sobre amores e convivências. Sobre entregas e permanências. Ele se aconchegou em mim e ficou no meu colo por anos a fio. Até o dia de partir. Não vou me estender nas palavras. Não agora — afinal, a nossa história está virando um livro. Ouço o tempo ao redor. Hoje resta o silêncio. Literal e simbólico. Diante da confusão que é sentir sua ausência tão presente misturada com sua presença tão ausente, só queria lembrar que o amor transcende as espécies e não precisa ser dito. Basta sentir. E viver. Bambi, querido, obrigada pela amizade. Foi um privilégio e uma enorme aventura.

Espero que vocês também gostem.

CAPÍTULO 1:

O gigante que cabia na palma da mão

Fitei a muda de mangueira diante de mim e senti um misto de carinho e melancolia. Com o passar das estações, ela deve crescer mais e mais. Pode se tornar uma mangueira imensa, com uns quantos metros de altura, e abrigar, em sua sombra, trabalhadores cansados que, depois do almoço, vão se aproveitar da vastidão da copa da árvore para tirar um cochilo. Provavelmente, vai dar frutos e, depois, vai sustentar crianças peraltas interessadas em escalar seu tronco e alcançar seus galhos, a fim de catar mangas maduras. Por entre suas folhas, vão se passar tantas vidas! Formigas seguirão suas rotas, com pressa e dedicação. Pássaros farão seus ninhos. Lagartixas vão rastejar com agilidade por entre as ramificações do caule. Corujas, macacos e outros pequenos mamíferos, além de uma infinidade de insetos, vão cruzar por ela. A vida não tem fim. Quando parece que vai acabar, ela se transforma e vira recomeços.

    Mas vamos com calma. Para vocês entenderem as voltas que a vida dá, primeiro, tenho de contar esta história.

Eu tinha doze anos há pouco completos quando vi o Bambi pela primeira vez. Éramos, ambos, rascunhos ainda inacabados do que nos tornaríamos na sequência dos dias e dos anos a fio de convívio e afeto. Naquela noite de novembro que prenunciava o calor do verão, meu pai me chamou com um grito animado para que eu fosse até o escritório ver algo importante e, aparentemente, divertido. Arrastei os pés preguiçosamente até o cômodo ao lado. Estava concentrada no dever de casa e não queria ser interrompida. Mesmo assim, cedi e fui averiguar o porquê do entusiasmo. Na tela do computador, a imagem de um ser minúsculo, mas com enormes orelhas, cobria todo o plano de fundo. Era uma espécie de morcego sem asas, com as patas enfiadas em uma caneca branca. Apenas a cabecinha estava totalmente à mostra. As orelhas pontudas pareciam prejudicar o equilíbrio do restante do corpo. Não entendi, ao certo, o que aquilo significava.

Fabiano, meu pai, apertou uma seta no teclado e o comando fez surgir mais uma foto daquele inusitado bichinho. Dessa vez, ele estava em pé, posicionado sobre uma mesa, com um CD ao seu lado, disposto de modo a evidenciar que o comprimento do disco compacto era um pouco maior do que o corpinho marrom e peludo do estranho animal. Sua cabeça parecia ter o mesmo tamanho do tronco, embora mais arredondada. Os olhos eram grandes bolotas prestes a saltar da órbita — podia-se notar que, como é de praxe com filhotes, ele observava o mundo com bastante atenção e curiosidade. O focinho alongado era o indício mais provável de que, no fim das contas, a criatura deveria ser um cão.

— O que é isso? — perguntei, confusa.

— É um pinscher! — respondeu meu pai, deixando transparecer alguma euforia na voz.

Nunca fui grande entendedora de raças de animais ou derivações afins. Embora, evidentemente, nunca tenha podido deixar de reparar que, entre os cachorros, a variedade de altura, de peso e de pelagem seja um fator gritante entre os exemplares que circulam por entre nós. Percebam que um chihuahua e um dogue alemão, apesar de suas descomunais diferenças, compartilham a inegável afinidade de serem mamíferos do tipo *Canis lupus familiaris*, uma subespécie domesticada do lobo que vem acompanhando de perto a história da humanidade. Assim, quando soube que o bicho da imagem era um pinscher, não pude resgatar na memória desdobramentos adicionais para complementar a informação e tentar vislumbrar o que estava por vir.

Somente lembrei, de maneira vaga, de um relato antigo da infância de minha mãe. No fim da rua onde ela crescera, havia uma casa de largo quintal, bem em uma esquina, de modo a permitir que a área da construção se espalhasse para ambos os lados do quarteirão. No interior do terreno, três pequenos guardiões caninos acompanhavam atentamente o entrelaçar de passos de cada transeunte. Eles corriam de uma extremidade à outra do quintal, gritando, em uníssono, latidos esganiçados, empenhados em expulsar possíveis invasores. Chamavam-se Huguinho, Zezinho e Luizinho, uma versão adaptada dos trigêmeos dos quadrinhos. Compunham um trio de pinschers temido na cidade. O temor era relativo ao barulho, claro. Ninguém queria passar pelo desgaste de ouvir seu alarido incessante ao cruzar por ali. Os cidadãos, então, criaram o hábito de, com discrição, desviar da casa daquela pequena, mas estrondosa, matilha.

O cãozinho da imagem, porém, tão miúdo e, à primeira vista, inofensivo, não haveria de ter qualquer correlação com essa resenha do passado de minha mãe. Aparentemente, o pequeno cão vivia há meia dúzia de semanas nas proximidades de minha cidade natal, no sul do país. Um amigo da família o acolhera e, posteriormente, enviou as tais fotos. O orelhudo havia nascido em meados de setembro. Esta foi a primeira coincidência entre nós. Embora não saibamos, precisamente, o dia de seu aniversário, relatos orais apontam que Bambi teria desembarcado neste mundo mais ou menos no dia em que eu celebro minha própria primavera. Não entendo de astrologia, e, em especial, do mapa astral canino, mas há quem diga que o fato de ser setembrino foi determinante para fazer de Bambi um companheiro tão especial — e adoravelmente rabugento.

De volta àquela ocasião longínqua, após ver as fotos, dei de ombros e retornei para meus cadernos. O bicho era fofinho, verdade. Mas não entendi qual possível relação ele poderia ter comigo. Sequer sonhava que, em pouco tempo, ele estaria aninhado em meus braços e lá permaneceria por quase duas décadas. E ai de quem tentasse tirá-lo do conforto de meu colo! Nesses dias, contudo, eu não cogitava a existência de um cão em minha vida. Queria muito era ter um gato. Nos fins de semana, meus pais costumavam me levar a lojas de pets e eu passava manhãs inteiras observando os gatinhos disponíveis para adoção. Eles eram encantadores. Tinham metade da quantidade de orelhas de Bambi, focinhos mais achatados e seguramente, na vida adulta, contariam com o dobro ou até o triplo de peso de meu futuro cãozinho. Além disso, ao longo de toda a infância, vivi na casa de minha avó, cercada por gatos de todas as cores e tamanhos. A despeito das estranhas e desafinadas cantorias que eles compunham durante as madrugadas, no telhado da casa, os felinos eram animais absolutamente cativantes.

Entretanto, ao que tudo indica, na nossa pequena família de três integrantes, apenas eu tinha sido cativada pelos bichanos. Minha mãe, Chica — nome que não deriva de Francisca, mas se trata de um apelido devido às marias--chiquinhas que eram sua marca registrada nos cabelos, quando criança —, é avessa a animais. Ela teve algumas experiências frustradas com a criação de coelhos, na juventude. Embora os considerasse bichos fascinantes, com seus grandes dentes e desenvolta agilidade, ela, por causa da pouca idade que tinha, não pôde evitar os ataques de vizinhos que desaprovavam a criação de animais tão ameaçadores para suas hortas e plantações. Há rumores, até hoje, de que os coelhinhos de minha mãe tenham sido envenenados pela vizinhança. Daqui, da altura temporal de onde escrevo este livro, gosto de pensar que as pessoas aprendem com os erros da coletividade e acabam por se transformar de forma positiva. Faz menos de meio século que envenenar bichos era prática corriqueira. Atualmente, isso é crime. Mais que isso: a consciência das pessoas vem mudando e, a partir disso, a vida — de qualquer gênero ou espécie — tende a ser mais valorizada.

Porém, o fato é que, afora os coelhos, Chica não conseguiu desenvolver afeição por outro tipo de animal. Ainda que também tenha crescido cercada por gatos — minha avó é uma verdadeira adoradora de felinos —, somente olhos vermelhos e pelos marrom-esbranquiçados tinham conseguido amolecer seu coração até então. Ela opunha-se ferrenhamente à minha vontade de criar um gatinho em apartamento. E, sem dúvidas, torceu o nariz para a possibilidade de abrigar um cachorro debaixo de seu próprio teto. Meu pai, por sua vez, tivera uma doce experiência com um espécime fêmea de cão. Ela se chamava Tina e era uma mistura de border collie com traços de vira-lata. Tenho uma lembrança imprecisa dela, mas ouvia relatos sobre sua perspicácia singular e sobre a saudade que ela deixou ao partir, já velhinha. Eu me recordo que meu pai, determinado, anunciou que não teria outro cachorro depois de Tina. É comum, quando perdemos entes queridos, optarmos por fechar caminhos para novas possibilidades de apego. Amar contém inúmeras alegrias, mas resulta, inevitavelmente, em alguma quantia de sofrimento. A gente, às vezes, demora a entender que a vida é feita dessas ambiguidades.

No início de dezembro daquele ano, entramos no carro, decididos a atravessar metade de nosso país continental para retornar ao sul e trocar abraços com os parentes, nas festas de fim de ano. Fazia apenas um mês que tínhamos nos mudado para o Planalto Central. Nossa nova cidade tinha ares interioranos, se comparada à conturbada São Paulo, na qual vivemos pouco tempo antes. As tardes quentes e secas se arrastavam vagarosamente e iam compondo uma melodia tediosa no ritmo do tiquetaquear do relógio. Portanto, na manhã em que partimos rumo à casa de minha vó, eu estava bastante disposta e alvoroçada. Ansiosa para vislumbrar paisagens menos planas e simétricas.

Descemos por três dias as estradas que nos levariam ao gigante capaz de se esconder na palma de uma mão. Eu estava na frente da casa de minha avó após um almoço, respirando o calor úmido da chegada do verão, quando meu pai estacionou o carro bem em frente ao portão. Ele veio sorridente, trazendo algo em um braço e carregando o que parecia ser uma bolsa azul em outro. Forcei um pouco os olhos para enxergar melhor e eis que reconheci a criatura diante de mim: era o cão da foto. Ele era ainda menor do que eu podia me lembrar. E mais cabeçudo. Muito mais orelhudo. Fabiano estendeu a mão em um gesto que me convidava a segurar o bicho. Involuntariamente, enlacei aquele corpo minúsculo. Olhei para ele, confusa. Seus olhos esbugalhados denunciavam que ele estava sinceramente apavorado. Decerto, não fazia a menor ideia do que se passava à sua volta. Para ser sincera, eu também não.

— Você pode ficar com ele este mês, até a gente voltar para casa. Se você gostar de ter um cachorro, ele continua conosco. Caso não goste, ele volta para a casa de onde veio.

Meu pai expôs seu plano depressa e logo deu as costas. Ele me conhecia bem o suficiente para saber que, a partir dali, não haveria mais volta. Seria humanamente impossível conseguir me desfazer daquele ser assustado que rapidamente se aninhou em meu colo e dispôs suas patas com força em minha pele em um pedido para que, por favor, eu não o deixasse ficar no chão, em meio a tantos enormes pés. Fitei o pacote azul, que meu pai depositara distraidamente ao meu lado, e descobri que se tratava, na realidade, de uma cama de cachorro em formato de toca e com várias patinhas pretas desenhadas do lado de fora. Em um movimento ligeiro, recolhi o embrulho do chão e adentrei a casa.

Eu sabia pouco sobre o recém-chegado. Como toda relação que se inicia, a gente precisava de tempo para se conhecer melhor. É a convivência que viabiliza o afeto. Obtive a informação de que seu nome provisório era Piruá, em referência ao grão de milho que fica no fundo da panela e não estoura quando se prepara pipoca. Isso porque o amigo de meu pai que o acolhera até que viéssemos buscá-lo nas férias também tinha um exemplar de pinscher: a Pipoca. Bambi — ou, até então, Piruá — e Pipoca eram primos. O cãozinho vinha de uma longa linhagem de pinschers e seus parentes vivem em bando, ainda hoje, em uma chácara no campo.

Numa ninhada que irrompeu em uma noite gélida de inverno, ele nasceu cria única. Isso, potencialmente, nos dá indícios de como se formariam suas vontades e manias. Li, recentemente, em alguma notícia de jornal, que cães aprendem a mensurar a força de sua mordida ao brincar com irmãozinhos quando filhotes. Um cachorrinho sem irmãos, portanto, teria mais dificuldade de compreender os limites de sua força e a intensidade da mordida. Ou pode ser que Bambi simplesmente tenha notado o potencial de sua fúria e o terror que causava com sua raiva. Ao longo de duas décadas, conheci poucas figuras — humanas, caninas, felinas — corajosas o bastante a ponto de enfrentar a impetuosidade de meu pequeno cão.

E foi já naquela primeira noite que ele começou a mostrar a que viera. Minha avó, fã de gatos, há tempos não abrigava um cachorro em casa. Consegui convencê-la de que o bichinho não podia dormir ao relento, mas não foi possível persuadi-la a permitir que ele dividisse quarto conosco — eu e ela costumávamos dormir juntas sempre que eu a visitava. Concordamos, então, que o cão ficaria no corredor, em frente à porta de nossos aposentos. Foi uma longa noite embalada por gritos estridentes. Mal fechamos a porta diante de seu focinho e o animal se pôs a chorar e latir em tom de desespero por horas. Tentamos de tudo para solucionar a questão: comida, água, cobertas. Nada o deixava satisfeito. Exceto, é claro, a ideia de entrar no quarto e dormir ao nosso lado. Na ocasião, não consegui negociar essa demanda do cão com minha vó. Naquela madrugada, ela não deu o braço a torcer. Mas, dali em diante, não teríamos mais muitas opções na vida a não ser ceder aos caprichos do miúdo ser de grandes orelhas.

Bambi tinha um vigor único e uma determinação sem igual para nos persuadir a fazer exatamente o que ele queria. Sua técnica? Afinados e persistentes berros ressoantes. Jamais tive conhecimento de que outra criatura tão obstinada quanto ele tenha colocado pés ou patas na Terra. Certa vez, quando já estávamos de volta à nossa casa e o cão feroz encontrava-se adequadamente adaptado ao seu novo lar, fomos convidados para um casamento e, visto que não tínhamos parentes na cidade, não havia outra solução a não ser deixarmos o bicho sozinho por algumas horas no apartamento. Depois de levá-lo para passear, depositamos nos potes uma quantidade considerável de comida e água, suficientes para mais de dias, mesmo que fôssemos ficar apenas poucas horas ausentes.

O fato é que Bambi ainda não tinha ficado sozinho ao longo de sua, então, curta existência. Na realidade, durante toda a vida, ele jamais aprendeu a ser só. Após o evento, conforme nos aproximávamos de casa, na garagem e depois no elevador do prédio, ouvíamos gritos levemente cansados do persistente cachorro. Quando abrimos a porta, vislumbramos o tamanho do estrago. O cachorro tentara arrombar a porta da frente cavando com empenho o pedaço de madeira mais próximo ao chão. Suas patinhas tinham resquícios de sangue, assim como o assoalho da entrada do apartamento. As unhas dos cães, como é sabido, têm um conjunto de vasos sanguíneos e terminações nervosas. Mas Bambi, evidentemente, ignorou tal detalhe de sua biologia e insistiu em cavar até a exaustão — que nunca chegou.

Decidimos, a partir de então, que o cachorro não tinha condições de ficar sozinho em casa e passamos a evitar ao máximo deixá-lo desacompanhado.

Naquelas primeiras noites com Bambi, portanto, quando ele sequer tinha um nome fixo e ainda nem se mostrava tão confiante frente ao mundo, eu não fazia ideia de tudo que estava por vir. A vida ao lado de um cão é cheia de emoções, desde as alegres e agradáveis até as tristes e dolorosas. Afinal, os aclives e declives fazem parte do existir. Viver é cheio de desassossegos. De idas, de vindas. Ao aceitarmos percorrer os anos compartilhando os dias com um cão, só há uma certeza: ele vai permanecer ali, até o fim, sem arredar a pata. Porque se dedicar integralmente a uma amizade é o que eles sabem fazer de melhor. E o Bambi, vocês já sabem, era o cão mais perseverante dos mundos. Ele foi, até o último instante, o melhor dos amigos que eu poderia ter por perto.

O cão que não cabia em si

No primeiro ano em que Bambi esteve conosco, minha mãe contou para uma colega de trabalho que tínhamos adotado um pequeno e barulhento pinscher. A moça respondeu, com nostalgia, que ela tivera uma também. A cachorrinha viveu por dezenove anos. Chica ficou perplexa. Será que aquela criatura de voz estridente nos acompanharia por um período tão extenso? Ela tentou espantar esse pensamento, agarrando-se à expectativa de que o caso da cachorra da amiga seria uma exceção. Mas o tiquetaquear das tardes segue traiçoeiro. A gente pensa que o tempo se arrasta, até se dar conta, com surpresa, de que a melodia do relógio nos distrai e, de repente, a vida se esvai. Esta história, tão real quanto minhas lembranças permitem, é uma homenagem. Mais do que isso: é um agradecimento. É a forma mais sincera que encontrei de eternizar o Bambi e de fazer seus latidos ecoarem por aí, até onde for possível ouvir.

Quer fazer parte desta aventura?

CAPÍTULO 2:

Um atento cão de guarda

Fazia um par de dias que aquela miniatura de cão estava comigo. Ele já começava a mordiscar meus pés para pedir colo ou carinho e, conforme as horas iam se sucedendo, parecia se sentir cada vez mais seguro e confiante para rosnar e latir para quem aparentasse ser, remotamente, uma ameaça para a matilha. Sim, a gente teve absoluta certeza, desde o princípio, de que o miúdo cachorro havia nos acolhido como sua matilha. E, mesmo com o andar dos anos, quando tínhamos nossos desacertos, implicâncias e controvérsias, ele jamais desistiu de nos abraçar como seu grupo de — segundo a sua perspectiva canina — estranhos e desengonçados seres bípedes com excesso de pelos concentrados no topo da cabeça. A gente era uma família. Porque, para ser família, não precisa ser todo mundo igual. Não tem problema se a gente for desproporcional, de cores, pesos e tamanhos diferentes. Uns podem ser mais peludos, mais orelhudos, mais focinhudos. O importante são os afetos. E, no pequeno corpinho de Bambi, mal havia espaço para tanto amor. Acho que, por isso, ele deixava transbordar ternura em forma de latidos — e, não raro, era mal interpretado.

Mas o fato é que, até então, o bicho ainda não tinha nome.

Isso porque eu tinha optado por abrir mão da alcunha Piruá, que, embora criativa, não me parecia traduzir com clareza a personalidade do pinscherzinho.

Apreensiva com a situação, convoquei minhas primas para uma reunião de emergência. Éramos melhores amigas e elas estavam — tal como eu — empolgadas com a chegada do novo cãozinho. Precisávamos, contudo, providenciar um nome para a criatura. Ensaiei, previamente, meia dúzia de possibilidades, mas todas foram devidamente vetadas pelos meus pais.

— Que tal Pichitinho? — perguntei com empolgação para minha mãe.

— Pichi o quê? — ela respondeu com sincera dificuldade de reproduzir o termo. — Ninguém vai conseguir chamar o cachorro se ele tiver um nome desses.

— E Bichento? — questionei meu pai, com uma pontada de esperanças de que, dessa vez, a sugestão fosse aceita.

— É nome de gato — retrucou ele, não satisfeito com a proposta.

Fui buscar auxílio, então, com Gabi e Milla — minhas duas primas-irmãs, ambas pouco mais velhas que eu. Elas observaram o animal com atenção. Ele tinha o tamanho da palma de uma mão, as patas traseiras mais elevadas que as dianteiras, o pelo de um marrom bem vivo e dois redemoinhos, que faziam espirais na altura da pelagem do pescoço, um de cada lado. Além de um rabo que, sem demora, meu pai apelidou de pitoco, por ser realmente diminuto. Antes de Bambi chegar até nós, não sei exatamente em que altura dos noventa dias em que vivemos separados, alguém mandou cortar o seu rabinho. Na época, a prática era comum e, a depender da raça do cão, muitas pessoas consideravam que o bicho ficava mais bonito com uma parte de si amputada. Hoje, ainda bem, isso é crime.

Após longos instantes contemplando o cachorro, Milla foi a primeira a trazer ideias, com forte inspiração em sua admiração pela mitologia grega:

— Que tal Hércules?

Eu e Gabi nos entreolhamos, sem muita convicção de que aquele era o nome certo. Respondi, com delicadeza:

— Mas ele é tão magrinho, acho que não combina.

— E Costelinha? — propôs Gabi, ainda que com pouca confiança. Esse era o nome de um personagem de desenho de nossa infância que ela gostava bastante.

Mexemos os ombros em um movimento impreciso indicando que aquela, talvez, pudesse ser uma boa opção. Mas ainda não era a mais assertiva. Cogitamos as mais variadas alternativas, levando em consideração artistas e cantores famosos, desenhos animados, filmes infantis e também nomes comuns de cachorro, como Pompom ou Paçoca. Só não arriscamos Bolinha, afinal de contas, tal título não condizia, de maneira alguma, com o perfil do bicho a ser nomeado.

Lá pelas tantas, nos pegamos contemplando o pequeno cão. Estávamos, as três, sentadas em círculo no gramado da casa de minha tia, mãe da Milla. O quintal era amplo e estava inteiramente envolto por uma grama não aparada. Percebemos que o cachorro, com fluidez, dava

O cão que não cabia em si

pequenos saltos — para ele, creio que eram grandes — para vencer a altura do capim e percorrer a relva, eufórico. Minhas primas, em um estalo, falaram juntas e de maneira atropelada:

— Ele parece com o...

— Bambi!

Até hoje não sei ao certo a ordem dessas colocações e quem exatamente teve a ideia. Tanto Gabi quanto Milla reivindicam a autoria do batizado. Acho que elas pensaram na proposta simultaneamente. Porque o veadinho do clássico infantil, com suas orelhas pontudas e as patas de trás mais compridas que as da frente, era mesmo uma versão animada e em duas dimensões daquele cachorrinho tão real e tridimensional que, naquele momento, estava ali, bem diante de nós. E agora com um nome próprio.

— Bambi! Gostei.

Agradeci a ajuda e corri para o interior da casa, contente e ansiosa para divulgar para o restante da família a novidade.

Não sei o que vocês acham. Mas, para mim, Bambi tinha mesmo o focinho de Bambi. Sem tirar nem pôr.

Todavia, houve ocasiões em sua história em que ele foi confundido com outros personagens de contos infantis. Já relatei que ele era dotado de avantajadas orelhas pontudas. Pois bem, meus pais tinham uma amiga que, vez ou outra, ia nos visitar. Ela era sempre bastante simpática e cortês. Quando chegava, gostava de cumprimentar a todas e todos, um a um. E, uma vez que adorava animais, não deixava o cão da casa de fora das saudações. Só tinha um problema: ela simplesmente não conseguia associar o nome de Bambi ao filme do veadinho conhecido como

(23)

príncipe da floresta. Ela se atrapalhava toda, confundia as animações e, inevitalmente, acabava por chamar o cachorro de Dumbo.

Tudo bem. Faz parte. A gente ria e achava graça. Bambi tinha — como qualquer outro ser — suas imperfeições. Mas as orelhas não. As orelhas grandes eram puro charme mesmo. As patinhas tortas, por outro lado, eram um problema real. Não sabíamos, naquele tempo, que o jeito elegante de Bambi andar era, na verdade, uma alteração de nascença em sua estrutura física. Tínhamos consciência, apenas, de que uma de suas patinhas dianteiras era um pouco torta. Porém, não parecia ser algo grave. Em contrapartida, era o fator determinante para motivar seu caminhar inspirado na Gisele Bündchen. Digo isso porque Bambi não andava, meramente — ele desfilava. Transpassava ligeiramente uma patinha na frente da outra e circulava com destreza pelas passarelas da vida.

A inclinação das patas traseiras, todavia, pensávamos que era característica intrínseca a um pinscher. No início dos anos 2000, o acesso à medicina veterinária e a tratamentos específicos para curar doenças caninas era bem menos difundido. E Milla, que depois veio a se formar na área, ainda levaria uma década para crescer, fazer faculdade e começar a exercer a profissão, cuidando do Bambi e de vários outros bichinhos. Na realidade, no início do século, tudo era bem diferente quando o assunto eram os cães. A presença de cachorros nos lugares ainda não era bem-vista e, menos ainda, bem-vinda.

Por isso, quando começamos a voltar para casa após as férias em que adotamos o Bambi, o percurso foi árduo. Como eu já contei, atravessávamos meio Brasil de carro, da casa de minha avó até a nossa. Eram mais de dois mil quilômetros e dias de viagem, pois íamos fazendo pausas e visitando lugares pelo caminho. Bambi era, portanto, um jovem cão viajante, saindo de sua terra natal para desbravar lugares longínquos. Ele ia sempre atento — e em pé, bem vigilante. Via os pampas se transformando em cerrado pela janela do carro. Na contagem dos muitos anos em que ele fez esse trajeto, posso garantir: Bambi não cochilava nunca. Um cão de guarda não pode abandonar o serviço um instante sequer, não é mesmo?

Em diferentes ocasiões, entretanto, ele sentia o peso de carregar a matilha nas costas. Não era fácil, suponho, ter que proteger e ainda liderar aquele grupo de humanos distraídos, que iam estrada afora escutando música, conversando, dormindo, sem se afligir com os riscos da selva. Quando a exaustão batia e Bambi já não suportava mais se equilibrar em duas patas, com o focinho bem posicionado na janela e as orelhas tão alertas a ponto de praticamente encostarem uma na outra ao se esticarem na diagonal, ele cedia. Não deitava, é evidente. Mas recostava a cabecinha nas patas dianteiras por alguns instantes, de modo a ficar com as patas de trás estendidas e o rabinho arrebatado. Tal cena durava breves instantes. Sem demora, ele se entendiava de descansar e voltava à vigília atenta.

Certa vez, em um de nossos longos percursos, tivemos que pernoitar numa pequena e graciosa cidade portuária cheia de casinhas coloridas à beira-mar. À época, não era comum cães serem incluídos nas viagens em família. Era difícil encontrar hotéis que aceitassem peludos como Bambi. Mas uma singela pousada com aspecto de filme de terror permitiu a nossa estada — com cachorro e tudo. O cenário remetia a um longa-metragem digno de fantasmas ou demônios. A escada de madeira rangia como se, no passo seguinte, fosse despencar. Os cômodos eram amplos, mas simplórios. A meia-luz daquela calorenta noite de verão atribuía um ar de suspense memorável à situação. De fato, nunca esquecemos o episódio. Não tanto pela atmosfera sombria, mas, especialmente, pelos nossos companheiros de quarto.

Devido ao calor, foi preciso deixar as janelas abertas madrugada adentro. Foi então que eles apareceram: os verdadeiros demônios que infernizaram Bambi, fazendo da ocasião, para ele, um filme de horror, eram minúsculos mosquitos. As criaturas barulhentas zuniram ao redor de suas grandes orelhas a noite inteira. Ele quase não pôde dormir — assim como nós. Brigou em forma de latidos estridentes com cada um deles e mordia o ar, tentando abocanhar os intrusos. Foi uma batalha penosa que se estendeu horas a fio, até o amanhecer. Bambi devia ter dois ou três anos na contagem humana e estava no auge da sentinela de um típico pinscher. Não podia perdoar aquela invasão aos seus aposentos.

Mesmo com sono, na manhã seguinte, tivemos de dar continuidade à viagem. Assim, conturbados, porém, divertidos, eram os percursos férias após férias. Na primeira volta para casa, Bambi era tão minúsculo que, em uma das paradas na beira da estrada, quando descemos para esticar as pernas e ir ao banheiro, ele deu de focinho com três tucanos e se sentiu terrivelmente acuado. Os bichos tinham duas ou três vezes o seu tamanho. Ele, então, correu para o meu colo e, mantendo certa distância, tentou cheirar os amigos voadores.

Com o tempo, ele foi se habituando ao carro, os hotéis e o trajeto. Até passou a fazer parte de nossa tradição familiar de tirar fotos em cenários interativos de parques temáticos que encontrávamos pelo caminho. Fazendo pose para o retrato, ele montou em um cavalo (de madeira) do velho oeste e foi prisioneiro ao lado de um cadáver desconhecido em uma simulação de cadeia abandonada.

Já quando desembarcou no centro do Brasil pela primeira vez, Bambi não teve a menor dificuldade em se adaptar ao calor. Pelo contrário, acredito que ele tenha considerado uma ótima troca abrir mão do rigoroso inverno do sul e abraçar as altas e secas temperaturas de seu novo habitat. Para ele, complicado foi se acertar com a culinária local — ou, no caso, as opções de ração disponíveis na região. Não o culpo. Moro aqui há quase duas décadas e também ainda não me conciliei com a gastronomia do lugar. Com o intuito de agradar o novo morador da residência — e, quem sabe, até de fazê-lo ganhar uns quilinhos, ou melhor, uns graminhas —, oferecemos a ele uma modalidade de ração que nos pareceu a mais apetitosa. Convicto, ele rejeitou. Tentamos, então, uma nova opção. E outra. E mais outra. E outra de novo. Assim sucessivamente.

Bambi rejeitou incontáveis tipos diferentes de ração. Ele beliscava o prato de leve, fazia cara feia, dava as costas e parava de comer. Por uma ou duas semanas, fizemos uma sequência de tentativas frustradas de alimentar o cãozinho. Pedimos ajuda a veterinários e amigos, a vizinhos e conhecidos. Até que uma noite, meu pai chegou em casa carregando um saco de ração discreto e menos volumoso. Ofertou uma parca porção ao bicho, apenas para fazer o teste. Eis que Bambi se colocou, prontamente, a devorar os grãos, com vontade. Chica, admirada, indagou o que havia de diferente naquela comida. Fabiano engoliu em seco, mas tentou disfarçar o nervosismo com argumentos sobre a qualidade do produto, a quantidade de proteína e o baixo índice de conservantes. Minha mãe torceu o nariz. Ela desconfiava do custo de todos esses benefícios:

— É a ração mais cara do mercado, né? — perguntou, já sabendo que a resposta seria afirmativa.

É preciso registrar que Chica é uma figura parcimoniosa com dinheiro. Ela é econômica, uma poupadora engajada. E não ficava satisfeita com a ideia de investir qualquer trocado na alimentação do cachorro. No entanto, tenho de ser sincera. Ter um cachorro implica custos. Às vezes, bem altos. E nem sempre esses gastos são fáceis de serem previstos. A depender do cão, a gente nem consegue enxergar o prejuízo com clareza — em especial, quando ele come seus óculos, mas isso é uma história para mais adiante.

Ainda durante o processo de adaptação de Bambi à nova cidade ou, talvez, em decorrência de suas descobertas do mundo ao redor e de si mesmo, a miúda criatura destruiu algumas caminhas. A sua primeira cama, por exemplo, aquela azul com patinhas pretas em formato de toca, ele dedicou um punhado de horas e numerosos esforços para cavar até rasgar o forro do material. É que ele não ficava satisfeito de ter que dormir enfiado dentro daquela espécie de casebre, sendo sufocado por quatro paredes. Como cão de guarda que era, fazia total questão de se posicionar no topo da casinha e vigiar tudo lá de cima. Infelizmente, para isso, ele teve de cavar e cavar, até o objeto ceder em farrapos.

Por sorte, suas demolições, naquela altura da vida, não foram muito além. Na juventude, ele tinha o hábito de rasgar papéis. Qualquer variedade de papel. Precisávamos ter atenção para não deixar livros e, principalmente, folhas de caderno ao alcance de seu focinho. Bambi adorava picotar com seus afiados dentes as minhas anotações de escola. A sua categoria de papel favorita, contudo, era o papel higiênico. Sempre que tinha oportunidade, ele puxava a pontinha do papel e saía desenrolando-o pelo corredor até chegar à sala. Era uma travessura que não arrancava sorrisos de minha mãe.

Mas o pior era quando algum desatento deixava uma pontinha de papel higiênico para fora da lixeira. Para Bambi, era uma farra. Já para nós, humanos, era desgosto na certa. Vocês sabem, os cachorros não cultivam exatamente os mesmos hábitos sanitários que nós, não é mesmo? Eles podem, aos nossos olhos, ser um tanto quanto nojentos. Ao que tudo indica, o sentimento é recíproco. Afinal, os cães torcem o focinho e se mostram nauseados com nossos cheiros, perfumes, banhos e hábitos de limpeza. Cada um com suas manias.

Por fim, quero destacar que Bambi se integrou ao ambiente por completo após descobrir a extensa janela da sala de casa. Havia um sofá posicionado contra a parede, de forma que o cão podia vir correndo do corredor da entrada do apartamento, pegar impulso, pular no sofá e, na sequência, fazer um novo salto para se instalar na parte de cima do encosto do móvel. Ele ficava sentado lá por tardes inteiras, espiando o dia passar. Volta e meia, latia embasbacado para qualquer intruso que desse indícios de estar perturbando a ordem do lar. Sempre alerta e, invariavelmente, desconfiado com estranhos. Dizem que pinscher é o menor cão de guarda que existe. Não sei, não. O Bambi era imenso — pelo menos ele tinha certeza disso. Sobretudo lá do alto do prédio, da janela do último andar.

CAPÍTULO 3:

O suricate de apartamento

Certa tarde vagarosa de férias, fui ao supermercado com minha mãe e, enquanto cruzava descompromissadamente os corredores, vislumbrei as prateleiras de itens para pets. Sei que já disse isso — e que sou meio antiquada insistindo em explicar como eram ou deixavam de ser as coisas no início do século —, porém, é relevante reforçar: naqueles tempos, bichinhos não eram integrantes com tanto espaço na família e, portanto, também não ganhavam destaque nas gôndolas de mercado. Assim, quando me deparei com uma estante repleta de opções de petiscos e guloseimas caninas, fiquei encantada.

Já queríamos encontrar formas de fazer Bambi ganhar uns graminhas. Vocês devem se lembrar de que a relação dele com as rações foi um tanto conflituosa. É certo que, naturalmente, pinscher é um tipo de cão esbelto, gracioso e elegante. Mas o nosso cão estava um pouco franzino. Ao menos era esse o argumento que minha mãe costumava usar para dizer que precisávamos alimentá-lo melhor — e, com melhor, quero dizer em maiores e mais generosas quantidades.

Talvez eu não tenha sido absolutamente sincera quando relatei que Chica não tinha intenções ou desejos de abrigar um cachorro em casa. Peço perdão. Fui traída pela memória. Entretanto, agora, enquanto resgato lembranças longínquas de como toda esta aventura bambinesca aconteceu, começo a me lembrar vagamente da fascinação de minha mãe por huskies siberianos. Lá na nossa cidadezinha, havia um exemplar da raça e, creio, foi daí que Chica passou a admirar a pelagem abundante — eles têm uma dupla camada de pelos! — e os belos olhos desses animais.

Meus avós eram donos de uma sorveteria. No sul do país, como é sabido, as estações do ano são bem definidas e com características fidedignas ao que se espera de cada uma delas — exceto pela neve no inverno, mas frio e geada tem de sobra. O verão, então, é de um calor tão úmido e viscoso que nem a sombra consegue ser menos abrasadora. Dá uma sensação ininterrupta de abafamento. Imaginem para um bicho cuja origem são os gélidos campos da Sibéria. Pois bem, a humana do husky, para tentar sanar o problema, comprava dezenas e mais dezenas de picolés lá em casa e oferecia para o cachorro. Minha mãe era amiga dela e acompanhava o processo de perto. Dizem que o coitado sentia tanto calor nessa época que pedia, em um uivo desajeitado, que jogassem nele baldes d'água. "A-UUU-Á", era o que ele vociferava. Quem assistia à cena jurava de pés juntos que o cão sabia falar.

Chica, apesar de seu maravilhamento com a quantidade de pelos de um husky, entendia que, em um apartamento, não seria viável manter um cachorro tão grande — mero engano, mas isso é história para bem mais tarde. Ela, então, voltou seus encantos para os cães pequenos, mas bastante peludos. No dia em que viu pela primeira vez um lulu-da-pomerânia, ela mal pôde acreditar naquela concentração toda de fofura em um corpo tão reduzido. Achou o máximo! Era um modelo canino consideravelmente diferente do que tínhamos debaixo de nosso teto. Bambi estava mais para pelado — em especial, conforme foi envelhecendo e a calvície resolveu se alastrar. Meu pai, alérgico a poeiras e a toda sorte de sujeiras, ponderou esse fator ao eleger um pinscher para nos acompanhar vida afora.

Ou seja, um peludo efetivamente cheio de pelos foi um sonho de Chica que ficou em suspenso, interditado pelos infortúnios do existir. Por outro lado, a vontade de ter um cão rechonchudo, bom de abraçar e apertar, ainda era viável. Acredito que foi isso que ela pensou quando eu, deslumbrada pelas invenções da culinária canina, fui até ela pedir encarecidamente que me deixasse levar uma lata de ração úmida para fazer a alegria de Bambi quando chegássemos em casa. Tive receio de que minha estratégia não fosse funcionar. Na infância, eu costumava tentar, a cada ida ao mercado, levar de volta para casa um agrado ou outro para os gatos de minha avó. Mas, implacável na defesa das economias — minha mãe teve a quem puxar —, ela raramente cedia.

Logo, fiquei surpresa quando Chica não só consentiu a minha ideia como, ao chegar ao apartamento, tratou de rapidamente abrir a embalagem e depositar uma quantidade abundante no pote do cachorro. Ele ficou exultante de tão feliz. Comia, comia, comia. Com efeito, devorou a refeição em velozes segundos. Nós estávamos igualmente extasiadas. Já podíamos até entrever uma espécie de barriguinha se alongar no abdome do bichinho. Confesso que a animação foi tamanha que não nos atentamos às instruções do produto. Sugeri, empolgada, que colocássemos mais um tanto de ração úmida no recipiente de Bambi. Ele voltou a comer e comer e comer. Demos, então, mais outro pouco. E outro. Até praticamente acabarmos com a lata.

Foram horas de imensa alegria. Bambi ficou claramente arredondado. Ou, melhor, ele ficou cilíndrico. Parecia um cãozinho em forma de embutido de mortadela. Nesse lapso de felicidade, o apelidamos de "mortadeludo". Ríamos e comemorávamos a conquista. Em nenhum instante, cogitamos que aquele processo de engorde ligeiro poderia fazer mal para o cachorro. Nunca tínhamos cuidado de um pet antes — bom, desconsiderando os coelhos da infância de minha mãe e os gatos de minha avó que, na realidade, não eram meus. Adentramos a noite, satisfeitas com a proeza. Celebração que, sem demora, acabou.

Assim que Fabiano chegou do trabalho e colocou o pé no apartamento, sua feição de alegria pelo fim da jornada transformou-se em uma cara de susto e preocupação:

— O que aconteceu com o Bambi? — ele indagou de imediato, ao perceber o estranho formato roliço que o cachorro adquirira.

— Nós demos ração úmida para ele! Ele adorou. Comeu a lata inteira.

A resposta de minha mãe transmitia um contentamento sincero. Enquanto o desespero de meu pai diante da situação era tamanho que ele não sabia como reagir. Tudo que ele sabia, por um trivial cálculo lógico, era o que estava por vir. E que isso não podia ser nada bom. Bambi pesava algo próximo de dois quilos. E cachorros, em especial os jovens, não têm muito discernimento de quando devem parar de comer uma refeição extremamente saborosa, mesmo que já se encontrem para lá de saciados. Bom, com os humanos isso também ocorre. Eu, nesse mesmo período em que Bambi ficou "mortadeludo", igualmente errei os cálculos uma dúzia de vezes de quanto bolo quente de laranja ou de cenoura com cobertura de chocolate poderia comer em uma única sentada. O resultado foram algumas madrugadas de vômitos e diarreias. Com o Bambino, vocês podem imaginar, não foi nada diferente. Naquela mesma noite, ele começou a passar mal. Esvaía-se em fezes pastosas que foram ficando mais e mais líquidas. Perdeu, rapidamente, todo o peso que ganhara. E, pior, não quis comer absolutamente mais nada. Apreensivo com o quadro de saúde do animal, Fabiano decidiu levá-lo a um veterinário. Não lembro como descobrimos o doutor Amorim — era assim que ele se apresentava —, creio que tenha sido recomendação de algum amigo ou conhecido. Mas sei que ele se tornou personagem recorrente daquele drama desastroso que era levar Bambi ao veterinário.

O consultório ficava em um bairro distante, a um bocado de minutos de nossa casa. Bambi nunca pusera empecilhos, até então, para entrar no carro. Ele sabia que aquele ser esquisito com rodas no lugar de patas normalmente o levava até alguma ou muita diversão. Entretanto, bastou uma única consulta com o doutor Amorim que o bichinho memorizou o percurso inteiro para chegar lá e até passou a nutrir uma desconfiança com veículos automotores. Assim que virávamos a esquina para pegar a longa rodovia que desembocava perto da clínica veterinária, tinha início a gritaria. Vocês devem se recordar que fazer barulho era a maior especialidade de meu cachorro. Pois bem, em momentos do tipo, ele demonstrava com vontade toda a sua aptidão para o latido.

A cada vacina ou consulta de rotina, a história era a mesma. Bambi alardeava sua chegada com grunhidos de contrariedade e movia-se em gestos sorrateiros para abocanhar mãos e dedos do veterinário. Além de latir, morder era seu instrumento de ataque mais precioso. Mais do que um cão de guarda, ele era também de ataque. Não media esforços para enfiar os finos dentinhos nas luvas do doutor Amorim. Eventualmente, os dentes penetravam a pele e me recordo de um ou outro episódio em que a mordida chegou a sangrar. Ficávamos embaraçados, sem saber como nos desculpar. O profissional, pacientemente, dizia que estava acostumado e ria da situação. Amorim, antes de tratar de animais como cães e gatos, cuidava de cavalos. Presumo que pacientes como Bambi possam tê-lo estimulado a retornar para o trabalho com equinos, os quais, possivelmente, são mais dóceis e fáceis de lidar.

O trauma de Bambi ainda se ampliou após o acidente da pata quebrada. Avaliei com cautela se deveria ou não revelar este segredo de família para vocês. A verdade sobre tal fato está trancafiada em recordações empoeiradas em um canto qualquer da memória faz um tanto de anos. Mas, no ano passado, uma criança que amo muito viveu algo parecido. Decidi compartilhar a história caso mais crianças — ou adultos — que estejam lendo estas páginas também convivam com uma tristeza como a minha e a da menininha a seguir.

Ela, sem querer, machucou uma de suas gerbis — ou esquilo-da-mongólia, que é uma espécie de roedor, só que com nome diferente. Por causa do ocorrido, a ratinha deixou um pedaço do rabo cair. Esses animais têm caudas longas justamente para poder soltar um pedaço delas em caso de ataque de predadores. O gerbil, contudo, sente dor na hora em que o rabo se desprende e durante o processo de recuperação. A gente aprende — e que bom que é isso que ensinam às miniaturas de humanos na atualidade — que não se deve maltratar os animais. Por isso, machucar sem querer um bichinho — qualquer um deles — é algo que dói profundamente nas pessoas que internalizam o aprendizado de cuidar com amor destas criaturas adoráveis.

Mas viver — e conviver — é correr riscos de se machucar ou de machucar, sem querer, quem a gente gosta. Nem vou entrar no mérito emocional. Digo fisicamente mesmo. Quando a gente vive pertinho, colado em quem ama, a gente esbarra, tromba, tropeça. Foi em um desses tropicões que eu, acidentalmente, pisei na patinha do Bambi. Eu tinha treze anos, talvez ainda não completos. Bambi vivia uma fase similar, era meio filhote, meio cão na puberdade. Ele era bastante espevitado, e eu, muito desastrada — marcas de nossas personalidades que permaneceram na vida adulta.

Estávamos na fila para pagar as compras na padaria e pedi para minha mãe para levar um chocolate. Sou uma apreciadora convicta de doces, mas só tinha permissão para consumi-los em pequenas doses. Ou seja, uma vez que ganhei o presente comestível, fiquei tão absorta desempacotando a barra diante de mim que não olhei para o chão — na maioria das vezes, caminho de olhos muito atentos ao piso. Bambi, cuja realidade se dava ali, mais ou menos na altura da grama, encontrava-se agitado com os diferentes cheiros e estímulos que vinham da calçada e das moitas. Ele se atravessou entre meus pés sem que eu sequer percebesse. Dei prosseguimento à dinâmica de meu deslocamento. Tudo aconteceu em milésimos de segundos. De repente, pisei na pata direita dianteira do cãozinho. Não foi com força, mas foi, definitivamente, de mau jeito. Ele chorou um choro diferente. Não era irritação. Não era sua fúria corriqueira. Era dor. Eu me assustei, embora de imediato nem tenha entendido o que acontecera. Sem coragem de contar a verdade, disse para minha mãe, que ainda estava terminando de pagar as compras no instante do acontecimento, que um homem desconhecido com quem eu acabara de esbarrar acabou por acertar Bambi ao tentar desviar de mim. Inicialmente, não supúnhamos que o caso havia sido tão grave. Chica, com bastante paciência e dedicação, acomodou o bichinho no colo em uma posição extremamente desconfortável para ela, mas o mais agradável possível — dentro das condições — para ele. Tínhamos de esperar meu pai chegar para irmos ao veterinário. Bambi já era, nessa fase, irrestritamente adorado por Fabiano. Por mim também, claro. Mas eu pensava que meu pai ficaria um tanto quanto chateado e desapontado se descobrisse o que, de fato, se passara. Eu não queria que ele soubesse que fora minha culpa. Sustentei, então, a história sobre o homem inventado.

Da mesma forma que a menininha da gerbil, eu era demasiado nova para entender que estamos suscetíveis a acidentes assim. Não estou dizendo que não devemos tratar os bichos com cuidado. Pelo contrário, acredito tanto que eles merecem imenso respeito e carinho que sequer suporto a ideia de machucá-los — por isso escolhi, já na vida adulta, não comer qualquer um deles: vacas, galinhas ou porquinhos, incluindo os peixes. Só que nem sempre a gente é capaz de entender tal ideia. Bambi, porém, não teve a menor dificuldade em compreender que tudo aquilo fora sem querer. Em momento algum ele demonstrou mágoa ou ressentimento. Acho que ele soube, desde a primeira vez que o peguei no colo, que eu jamais seria capaz de machucá-lo de propósito. Ou talvez sua reação fosse apenas uma evidência da admirável virtude que os cães têm de não guardar qualquer rancor de quem amam.

Bem, de mim ele não ficou com raiva. Mas, quanto ao doutor Amorim, não posso afirmar o mesmo. O episódio nos levou a uma temporada de visitas mais frequentes ao consultório. Foi necessário engessar a patinha de Bambi. Ele não gostou nada de usar aquela espécie de bota imobilizadora. Uns meses antes, havíamos tentado colocar sapatos nele em dias de chuva. Devido ao seu reduzido tamanho, porém, os calçados ficavam levemente folgados, mesmo que usássemos o velcro do produto para ajustar o tamanho em suas patas. Bambi ia passear sacudindo as pernas perseverantemente. No terceiro ou quarto passeio noturno, como não poderia deixar de ser, ele perdeu um dos pés de sapato, deixando o conjunto inteiro desparceirado. O cão ficou radiante. Cumprira sua missão de livrar-se de amarras humanas durante as caminhadas — até dar de focinho com o gesso, uma versão alongada e piorada dos sapatinhos de outrora.

Na primeira ocasião em que doutor Amorim afixou um gesso na pata quebrada de Bambi, o bicho levou três ou quatro dias para roer, às escondidas, a extremidade do material, de modo a afrouxá-lo. Voltamos ao veterinário para que o molde fosse substituído. Mas o cão adquiriu agilidade e destreza após a experiência inicial e conseguiu retirar a proteção mais rapidamente na segunda tentativa. Dois dias depois, lá estávamos nós, mais uma vez, na porta do doutor Amorim. O médico fez uma terceira investida, procurando deixá-la mais firme, a fim de que Bambi não se saísse bem-sucedido ao empregar novos esforços na retirada do gesso. Foi em vão. Na manhã seguinte, já estávamos lá novamente.

Não houve jeito. Foi preciso colocar uma tala para imobilizar a tal pata. Isso, a princípio, não seria um problema. Porém, tendo em vista a pequeneza de Bambi, não havia talas disponíveis no mercado para o seu porte. O novo tipo de vedação não saiu. Contudo, o cão não sabia bem como ajustar seu caminhar àquele instrumento diferente que inseriram em seu corpo. Com o gesso, era possível seguir andando só em três patas. Mas, com a tala, a conjuntura era mais complexa, o que o fez desenvolver um método diferenciado. Ele aprendeu a locomover-se em duas patas. Virou bípede temporariamente. Acima de tudo, nos momentos em que estava a fim de amolecer os corações humanos com o intuito de ganhar um pouquinho de comida para além da ração. Ele era realmente uma gracinha, caminhando feito um suricate selvagem, muito embora fosse um suricate de apartamento.

Suricate, para quem não conhece, é um mamífero encontrado na África com cerca de um quarto de metro de altura, garras e dentes afiados e muita disposição para ficar em duas patas, levantado sobre as pernas traseiras, para observar as ameaças e oportunidades ao redor. Uma versão de Bambi das savanas.

Nessa fase, acabamos por nos tornar ainda mais inseparáveis. Eu estava em férias da escola e tinha bastante tempo para passear para lá e para cá com meu cãozinho. Ele, contudo, não podia andar grandes distâncias. Então eu o carregava no colo para todos os lados. Íamos ao parque, descobríamos novos bairros nas redondezas, nos púnhamos a percorrer a cidade para aproveitar o sol e as tardes secas. Um dia, quando uma de minhas primas estava nos visitando, a levamos, eu e Bambi, para conhecer as imediações. Perto de casa, havia um terreno baldio com grandes e belas árvores, que cortava a região, criando um atalho para o centro comercial mais próximo. Decidimos cruzar por lá para chegar mais rápido à sorveteria do outro lado.

Eis que, no meio do percurso, Bambi se pôs a latir compulsivamente.

— O que aconteceu? — questionei, confusa.

Minha prima foi perspicaz e, sem demora, desvendou o mistério:

— Acho que ele quer nos avisar sobre algo.

Olhamos ao redor atentamente. Não parecia haver nada de estranho nas proximidades. Mas Bambi insistia em seu alerta. Procuramos com ainda mais atenção. Então, vislumbramos, em meio a troncos de árvores retorcidas, uma chama vermelha que começava, timidamente, a se alastrar. Era um potencial foco de incêndio, embora ainda incipiente. O fato é que, onde moro, há longas temporadas sem chuva e qualquer insignificante fogo entre os galhos ressequidos é capaz de provocar uma queimada arrasadora. Entretanto, naquele dia, isso não aconteceu. Graças à persistência de Bambi em nos precaver sobre o perigo iminente, usamos nossas garrafinhas de água para apagar o talvez futuro incêndio. Foi uma aventura e tanto. Voltamos para casa convictas de que aquele ser, com trejeitos de cão-gato-suricate, era, no fim das contas, um herói disfarçado de bichinho.

CAPÍTULO 4:
Um líder de matilha

Certa tarde, após a escola, uma amiga foi lá para casa para fazermos, juntas, um trabalho de português. Ela chegou ao meu quarto, sentou na ponta da cama e, de imediato, Bambi, vislumbrando a possibilidade de ganhar cafunés, pulou no colchão e posicionou-se ao lado da visita. Ele sentou a poucos centímetros de distância dela, em uma pose compenetrada, olhando para a frente. Agia como quem não quer nada, disfarçando com discrição suas intenções de receber afeto. Bambi não virava a barriguinha para qualquer um. Mas, vez ou outra, simpatizava o suficiente com algum humano ou humana, a ponto de chegar perto e analisar as chances de conquistar qualquer carinho. Comportava-se feito gato, embora tivesse focinho de cão.

Minha amiga, sem demora, notou a estratégia do peludo. Voltou-se para ele e acariciou sua cabeça com delicadeza. Em seguida, ela se levantou, ficou de joelhos diante da cama e parou de frente para Bambi, deixando deslizar as costas da mão ao longo do dorso do cachorro. Ele fechou os olhos mansamente, para mostrar que estava gostando dos afagos. Ela, então, fitou-o com uma pontada de melancolia e disse, com a voz suave:

— Cachorros são tão legais! Eles deveriam viver para sempre. Ou, no mínimo, a mesma quantidade de tempo que a gente...

Bambi era bastante jovem e cheio de energia nessa ocasião. Ainda assim, de alguma maneira, aquela constatação sobre a existência canina me sensibilizou. Enquanto a gente vai vivendo, dia após dia, existir parece um longo processo cheio de banalidades do cotidiano. Nem dá para avistar o fim. Vez ou outra, porém, lapsos de realidade nos fazem lembrar a finitude de ser, de estar aqui. Do viver. Olhei para o cãozinho com ternura. Ele permanecia sentado na cama despreocupadamente. A efemeridade da vida não parecia lhe causar desassossegos. Na verdade, ele aparentava só querer viver ao máximo o instante que tinha bem ali, diante de si. Desejei, então, com muita força, que ele pudesse ser eterno. Vai ver, a eternidade tem outras formas.

As estações foram transcorrendo uma após a outra. No inverno — ou quando batia um vento mais forte, já que Bambi, com toda a sua magreza, sentia frio até no verão —, o cãozinho inventava eficientes técnicas para se aquecer. Ele até conseguiu comover minha mãe e, lá pelas tantas, ela passou a escondê-lo debaixo do braço, por dentro de um grande casaco azul que ela usava para ficar em casa, dedicando esforços para aplacar o frio do bicho. Eles desenvolveram uma relação de quase amor, que poderia ter prosperado gradativamente, não fossem as eventualidades dos anos. E um ou outro desvio de conduta de Bambi no convívio doméstico.

Imaginem vocês que, em uma corriqueira manhã de sábado, minha mãe se empenhou em preparar saborosos sanduíches para alimentar a família. A produção culinária se deu na cozinha. Conforme os lanches iam ficando prontos, ela ia dispondo cada um deles à mesa, na sala. Em meio a essa movimentação de um cômodo para outro, ela não teve tempo de notar que, sorrateiro, Bambi estava à espreita. Assim que reparou na ocorrência de uma brecha um pouco mais longa entre o ir e vir de minha mãe à cozinha, ele subiu estrategicamente na cadeira da mesa de jantar mais próxima do corredor, de modo que pudesse fugir com agilidade em caso de urgência.

Colocou-se em duas patas com o intuito de apoiar os membros dianteiros na altura do móvel, alcançando os pratos. Empurrou com o focinho uma fatia de pão para o lado e agarrou com a boca bem aberta o outro pedaço de pão, levando junto queijo e mortadela. Para não ter de fazer a refeição às pressas, ele manteve a comida na boca, desceu da cadeira e se escondeu para lá do corredor, não sei bem em que cômodo. Creio que vocês possam supor o misto de surpresa e irritação que acometeu minha mãe ao chegar à sala e notar que um de seus sanduíches havia sido reduzido a uma mera fatia de pão de forma levemente babado. As grandes orelhas de Bambi tiveram que lidar com alguns gritos de fúria, fome e frustração.

Mas nada comparado à ocasião que se seguiu, um par de meses depois, quando, como tradicionalmente fazíamos, nos organizamos para descer meio país e adentrar os pampas para as festas de fim de ano. Nosso cãozinho já estava com três anos, quase quatro. Ou seja, encontrava-se devidamente adaptado ao percurso. Sua rotina pré-peregrinação, porém, englobava uma série de preparativos. Antes de iniciar a viagem, ele tinha o hábito de passear por um punhado de minutos para cheirar o mundo e fazer suas necessidades biológicas nos arredores do condomínio. Naquela manhã, contudo, estávamos atrasados, e meu pai, que dirigia ao longo de todo o trajeto, resolveu encurtar a caminhada do bicho. Bambi fez o número um, como de costume, mas não teve tempo de fazer o número dois. Bem, não teve tempo naquele momento. Mas, depois que estávamos todos confortavelmente acomodados no carro, virando a curva para sair da cidade e efetivamente pegar a estrada, o cachorro começou a demonstrar certa inquietação. Ainda nos encontrávamos nos anos 2000 e bem pouquinho. Logo, embora os humanos já fossem há anos obrigados a usar cinto, os cães ainda não o eram. Portanto, Bambi viajava no meu colo. Naquele dia, ele parecia incomodado e decidiu alongar-se um pouco, andando de um lado para o outro no banco traseiro do carro. Achamos sua postura atípica. Afinal, ele não era de abrir mão de um colo assim — principalmente o meu —, sem razão aparente. Mas não desconfiávamos do que estava por vir. Seu atordoamento, sem demora, foi ganhando contornos físicos. Ele se instalou na parte mais alta do interior do veículo, agachou-se e fez um pouco de força enquanto caminhava — Bambi tinha o hábito de só fazer cocô andando.

O bichinho expeliu de dentro de si um alongado e fedorento excremento marrom escuro. Assistimos à cena perplexos e sem poder parar o carro, pois não havia acostamento por perto. Minha mãe soltava murmúrios de desespero. Uma tia, que estava de carona conosco na viagem, ria e achava graça da situação. Eu, sob a orientação do motorista, fazia malabarismos no banco para, com uma sacola e alguns lenços umedecidos, retirar a sujeira do estofado. Bambi expressava alívio em sua feição. Decerto, enfim, sentia-se preparado para descer aqueles milhares de quilômetros rumo às nossas imprevisíveis aventuras de verão.

As semanas decorreram sem maiores transtornos. Exceto pelas furtivas fugas de Bambi, que, dia após dia, iam se estendendo até um pouco mais longe. E, no fim, resultaram na potencialmente fatídica manhã de nosso retorno para casa. Visitar a minha pequena e bucólica cidade natal era animador. Podíamos, eu, Bambi e meus primos, percorrer as ruas de cima a baixo, andar pelos trilhos de trem, molhar pés e patas no rio e passear pelos morros ao redor. O cãozinho, naquela ocasião, deixou-se tomar pelo espírito aventureiro e começou a se arriscar em perambulações solo nas proximidades da casa de minha avó. Ele procurava, acredito eu, parcerias caninas para poder cheirar e desbravar com empenho os novos ares.

A cada amanhecer, antes de eu me levantar, Bambi foi dando algumas escapadas para passear sozinho. Primeiro, foi até a casa da vizinha. Depois, andou até a esquina. Na manhã seguinte, tomou coragem e atravessou a rua. Em duas semanas, já estava fazendo algumas amizades com grandes cães das redondezas. Aposto que eles gostavam muito de seu jeito irritado e, ao mesmo tempo, carinhoso. Creio que foi ali que ele se tornou um líder de matilha. Gosto de supor que, em uma bela manhã de sol, quando os demais cães estavam todos desorientados, sem saber bem para onde ir, pediram para Bambi liderar o grupo. Precisavam de alguém de seu tamanho e coragem para ir à frente.

O problema é que, nesse mesmo dia em que o peludo descobriu sua vocação para liderar grupos de cães tantas vezes maiores que ele, estávamos com o regresso para casa previamente agendado. E a data programada era inadiável. Eu nem sonhava, até então, com as silenciosas fugas matinais de Bambi. Até porque ele não costumava ser silencioso em nada, então não dava para desconfiar. Moradores do bairro, por sorte, vinham acompanhando aquela movimentação canina incomum na cidade. Na ocasião, acordei por volta das oito horas, já pronta para sair. Foi quando recebi a notícia: meu cachorro estava desaparecido. Tínhamos compromissos dentro de três ou quatro dias e não podíamos prorrogar a viagem. Era preciso localizar Bambi o mais rápido possível ou o que eu mais temia poderia acontecer: voltarmos sem ele.

Mobilizei a família em uma busca desvairada por todos os cantos da cidadezinha. Não é fácil sumir em meio a tão poucas vias e avenidas. O único jeito de desaparecer por ali é adentrando as trilhas que dão para o rio ou subindo algum dos vales que cercam o local. Fabiano saiu de carro para averiguar os endereços mais distantes. Eu percorri as direções que frequentava mais assiduamente com o cão. Chica, com a ajuda de minha avó, contornou as quadras próximas. E meu tio desceu na direção do rio. Às nove e meia, ainda não tínhamos obtido sucesso na procura. Minha mãe, apressada, avisou: "Precisamos encontrá-lo até às dez horas".

Podíamos ouvir o relógio anunciar ruidosamente o passar dos segundos. Consultamos transeuntes e vizinhos atrás de informações. Uma, duas, dez vezes sem sucesso. Ouvíamos apenas histórias trágicas de pequenos cães atropelados por motoristas distraídos ou devorados por cachorros maiores e ferozes dedicados a protegerem seus quintais. Até que um senhor nos relatou:

— O pinscher? Sim, ele passou por aqui mais cedo, acompanhado de uma trupe de cães de diferentes tamanhos. Ele era o menor e ia bem na frente, comandando o grupo.

— Para onde eles foram? — questionamos, atônitos.

— Foram reto até o fim da rua e viraram a esquerda, lá para os lados do rio.

Neste instante, um bocado de possíveis desenrolares dramáticos para a situação percorreram nossas mentes apreensivas. O rio era, como qualquer rio, perigoso. Em especial na região conhecida como poço, em que a correnteza fazia a curva e cruzava com ainda mais velocidade por uma profunda cavidade no solo, onde poucos se arriscavam a entrar. Havia também cobras e grandes aranhas que habitavam a mata à beira do curso d'água. Afora os carros que, no verão, cortavam a pista aceleradamente, lotados de banhistas esbaforidos pelo calor e ansiosos por chegar logo às margens da praia de água doce.

Subimos às pressas a rua em direção ao rio. O relógio marcava 9h57 e torcíamos para encontrar o cão bem e seguro antes que os sinos da igreja na praça central dobrassem, indicando uma sequência de dez badaladas. No momento em que virávamos a esquina, avistamos meu tio lá longe, descendo a via principal. Ele vinha sorridente e aliviado, trazendo nos braços um Bambi ofegante e um tanto quanto aborrecido por ter sido sequestrado abruptamente de sua missão como líder de matilha.

— Onde ele estava? — minha avó quis saber.

Meu tio deu uma gargalhada jogando a cabeça para trás e disse:

— Já ia descendo o barranco rumo ao rio, seguido por uma gangue de cachorros grandes que vivem em casas da região. Ainda tentou correr quando me viu. Mas, por sorte, a mata ficou densa e ele não teve por onde fugir.

Colocamos o quadrúpede outrora fugitivo no carro e iniciamos a viagem. Bambi teve de se aposentar precocemente de sua promissora carreira de líder de um grupo de cães no interior. Em vez de desfrutar de aventuras provincianas, precisou se contentar com a cidade grande e seus prédios cinza. Naquele verão, todavia, ele arriscou-se, mais uma vez, a testar sua aptidão para a liderança e sua capacidade de dominar a situação.

Durante o trajeto de retorno, paramos no litoral para pernoitar, visitar parentes e sentir o cheiro do mar. Fomos recebidos com entusiasmo no apartamento de minha prima. Ao menos pelos humanos. O gato anfitrião, contudo, a partir do momento em que o hóspede orelhudo e esguio colocou a pata na casa, escondeu-se na prateleira mais alta do armário, ao lado dos ursos de pelúcia. Bambi, provocadoramente, de quando em quando atravessava o cômodo devagar, olhando de modo desafiador para a estante, na expectativa de que o gato descesse. O bichano, porém, resistiu o máximo que pôde e não arredou a pata das alturas ao longo de toda aquela noite.

Mas, pela manhã, o gatinho deslocou-se do armário a fim de beber água. Seu percurso seria rápido e, se tudo saísse de acordo com o calculado, ele não esbarraria no intruso de pelos dourados que invadira seu habitat. Sem demora, ele localizou o pote, ingeriu o líquido, observando atentamente em volta, e se colocou a caminhar rumo ao esconderijo, apressando o passo. As contas do felino não deram certo por pouco. No instante em que ele estava pegando impulso para dar um pulo único de volta para o topo da prateleira, Bambi surgiu, afoito, soltando latidos espalhafatosos e tentando agarrar o rabo do gato.

Nos três anos que se seguiram, sempre que passávamos por lá, o bichano se alojava ao lado das pelúcias e se fingia de inanimado até irmos embora. Sentia um verdadeiro pavor do cão que, no passado, o atacara. Bambi ficava cheio de si. Ia até o quarto e latia energicamente, satisfeito por causar tamanho temor em um felino que tinha duas vezes o seu tamanho. Até que um dia, em decorrência de alguma distração do gatinho, ele deu, mais uma vez, de focinho com o cachorro. Bambi não hesitou em avançar no dono da casa. Rosnou, mostrou os dentes e fez três ou quatro investidas na direção do gato como quem vai morder. O gato, encurralado, tomou coragem e, em um golpe certeiro, bateu a pata na cara do cão.

Essa experiência exclusiva foi suficiente para evitar novas agressões caninas. Dali em diante, quando se encontravam, os bichos mantinham distância e algum respeito. Bambi acabou aprendendo que não era em todas as ocasiões que ele podia mandar e desmandar e impor suas vontades irrestritamente. Mesmo assim, a não ser nas visitas ao gato pós-patada no focinho, ele não costumava abaixar a cabeça nem a voz para ninguém. Sua bravura e sua ousadia eram ilimitadas, o que acabou nos pondo em maus lençóis algumas vezes na vida. Creio que, com um pinscher, não poderia ser diferente. Minha prima Milla, que, além de madrinha de Bambi, é veterinária, conta que, certa vez, estava operando um pinscherzinho que chegou à clínica bastante debilitado, necessitando de um procedimento cirúrgico imediato. Ele tinha atacado na rua um bicho enorme, algo como um fila brasileiro de, mais ou menos, cinquenta quilos. Após aplicada a anestesia, a operação transcorreu bem, todos os órgãos do bicho foram devidamente realocados aos seus lugares e a equipe médica, então, se pôs a esperar que ele acordasse para se certificar de que tudo estava resolvido. Assim que abriu os olhos, a primeira coisa que ele fez foi abocanhar o dedo da veterinária com ferocidade. Arrisco dizer que, se o cão for um pinscher, a abundância de fúria é um indício confiável de que, sim, ele está bem e está tudo certo. São pequenos corpos compostos de bastante raiva, tremedeira e imensurável amor. E é justamente tal paradoxo que faz deles seres tão cativantes.

CAPÍTULO 5:

A obstinação em forma de cachorro

Qualquer pessoa que é ou já foi amada por um cão sabe o tamanho da comemoração que acontece no momento do reencontro. Às vezes, a gente vai pegar correspondência ou deixar o lixo e, pronto, dois minutos de ausência já bastam para os peludos celebrarem nossa chegada como se tivéssemos ficado uma semana distantes. Todo início de tarde, quando eu retornava da escola e punha o pé no apartamento, Bambi fazia uma festa, com pulos e piruetas, reivindicando carinhos e colo. Ai de mim se não desse atenção a ele. Nessas situações, eu tinha meus tênis ou, se estivesse de chinelo, os calcanhares mordiscados pela revolta de quem fazia questão de obter, a qualquer custo, um punhado de afeto.

Alguns dias, porém, eu chegava apertada para ir ao banheiro, com muita sede, faminta ou tomada por outra dessas necessidades que nos acometem corriqueiramente quando somos gente. A cerimônia de recepção do cachorro, então, acabava comprometida. Foi em uma circunstância assim que, certa vez, Bambi ficou trancado para fora de casa. Como já expliquei, morávamos em um apartamento. Os prédios, em todos os lugares, costumam ter um padrão interno que faz com que a área comum de cada andar seja igual às demais ou, no mínimo, bastante parecida. Em nossa cidade, isso se dá de maneira ainda mais categórica, visto que há, em vários bairros, um limite de quantidade de andares que os edifícios podem ter e os moldes que cada construção deve seguir para se ajustar à arquitetura e ao urbanismo local.

Para humanos, tais regras já tornam o conjunto de edificações bem similares. Não fossem os números e letras que distinguem um endereço do outro, sem dúvidas, não conseguiríamos nos localizar com facilidade. Os cães, vocês sabem, não aprenderam — pelo menos por enquanto — a decifrar nossos códigos numéricos e alfabéticos. Esse desencontro comunicacional foi um empecilho no dia em que entrei em casa às pressas para ir ao banheiro e Bambi escapuliu para o lado de fora do apartamento sem que eu notasse, enquanto, na sequência, minha mãe fechou a porta da frente a fim de evitar que os barulhos da sala e da cozinha pudessem incomodar os vizinhos.

O cão se viu, repentinamente, em um universo curioso em que todas as portas de cada habitação eram idênticas. Confuso com o inusitado cenário, ele decidiu descer as escadas, provavelmente na expectativa de, no andar inferior, encontrar uma brecha na entrada de alguma daquelas moradias que o levasse de novo ao seu conhecido território. No quinto andar — nós morávamos no sexto —, ele fez o mesmo trajeto de maneira metódica, cheirando capacho a capacho sem reconhecer o ambiente e depois se deslocando escada abaixo mais uma vez. Uma vizinha o encontrou no segundo andar, já subindo de volta para o terceiro, e o apanhou, aconchegando-o em seus braços. Ela tocou a nossa campainha com o intuito de fazer a devolução do bicho. Eu abri a porta e, surpresa, avistei meu cãozinho em seu colo, com a feição um tanto exaurida de quem regressa para casa após explorar novos mundos. Não havíamos percebido, nesse um quarto de hora que se passara, que Bambi não estava lá dentro conosco. Eu correra para o banheiro e depois fui deixar a mochila no quarto e conferir quais eram os deveres de casa para a aula seguinte. Chica estava entretida terminando de preparar um suco de abacaxi e Fabiano consertava alguma peça quebrada que impedia o normal funcionamento do varal. Recebemos Bambi com espanto após a vizinha nos relatar que o encontrara perambulando pelo corredor alguns andares abaixo. Passado o susto, nos restou, apenas, festejar o seu retorno em segurança. Acho que é assim que cães se sentem toda vez que voltamos para casa.

Mas a verdade é que Bambi não gostava nem um pouco que saíssemos de perto dele. Ele, vez ou outra, tolerava tamanho atrevimento humano. E, não raro, demonstrava seu descontentamento com ataques aos pés de quem desse indícios de que iria se retirar do ambiente sem sua autorização — aval que só era concedido a quem levasse o bicho para a rua consigo. Por isso, confesso, foi uma má ideia eu tentar ir até a área externa do prédio para colocar o assunto em dia com uma amiga numa madrugada pacata de sábado. Meus pais já estavam dormindo quando Bia mandou uma mensagem me convidando para encontrar com ela lá fora. Eu, que então já era uma adolescente, não quis acordá-los para pedir permissão por dois motivos:

um, por causa do horário, que estava avançado e poderia ocasionar uma resposta negativa à minha demanda; dois, era bem mais emocionante sair às escondidas.

Morávamos em uma região segura dentro de um condomínio fechado. Não havia motivos para grandes preocupações nesse sentido. Contudo, arrebatada pela fantasia de que descer secretamente meia dúzia de andares para jogar conversa fora na entrada do edifício era uma verdadeira aventura, decidi que executaria meu plano conforme orientam os filmes infantojuvenis em que crianças fogem de casa para viver intensas e emocionantes tramas cinematográficas. Reuni dois travesseiros e três almofadas e os dispus na cama de maneira a simular que havia alguém deitado lá. Em seguida, pus a coberta por cima para aprimorar o disfarce. Saí de casa pé ante pé, pois sabia que Bambi não podia descobrir minha armação.

Evidentemente, o cão desvendou minha fuga em ágeis cinco minutos. Eu mal havia sentado embaixo do bloco, recostada em uma pilastra e de ouvidos atentos para a história que Bia tinha para me contar, quando comecei a escutar agudos latidos advindos do último andar. Em um sobressalto, me despedi e avisei que precisava voltar para casa de imediato. Mas já era tarde. Eu fora descoberta. Assim que adentrei o apartamento, deparei-me com meu pai, sentado no sofá da sala, cabisbaixo e incrédulo. O ambiente fora tomado por um clima de alvoroço e desconcerto. A luz de meu quarto estava acesa. As almofadas, que há pouco compunham uma simulação de mim na cama, estavam jogadas no corredor. Minha mãe sustentava um olhar penetrante de irritação. E Bambi, em meio a todo este cenário, encontrava-se sentado ao lado da mesa de centro, me encarando desafiadoramente, exultante com sua façanha de, em breves instantes, me obrigar a regressar para bem perto dele.

Não me lembro ao certo da bronca que levei ou das consequências que meu curto desaparecimento acarretou. Lembro-me, entretanto, do deleite de Bambi após conseguir o que queria. Creio, sinceramente, que ele foi o cão mais obstinado que já pôs as patas na Terra. Em diversas situações, quando ele dividia com humanos camas, sofás ou qualquer outro espaço para deitar e descansar, era indubitável o fato de que a divisão não se daria de forma equânime. Bambi, embora pudesse se acomodar com tranquilidade em um canto pequeno de ínfimos centímetros quadrados, não se contentava com menos do que metade do leito.

Talvez o episódio mais marcante de compartilhamento de uma superfície para dormir com Bambi tenha sido o que se deu com uma amiga minha de escola, a Priscila. Ela foi dormir lá em casa pela primeira vez depois de já ter tido diversos contatos com o cão e de manter com ele uma relação estreita de afinidade. Ela adorava cachorros e ele adorava humanos que o adoravam — exceto os humanos filhotes. Ele gostava de fazer longos passeios e ela me acompanhava nessas empreitadas. Ele era um verdadeiro adepto de pizzas e ela, que não era grande admiradora de carboidratos, se aproveitava do paladar canino para repassar para o bicho, sigilosamente por debaixo da mesa, um ou outro pedaço de borda com um pouco de molho.

Ambos, aparentemente, tinham uma relação estável e respeitosa. Isso fez com que ela não visse problemas em recebê-lo como companhia para dividir a cama naquela noite. Ninguém a havia alertado sobre os perigos de compartilhar o leito com uma fera contumaz. Ao passo que a madrugada ia se alastrando, Bambi pleiteava mais e mais espaço no colchão. Priscila tentou afastar o minúsculo corpo do cachorro para qualquer beirada, a fim de se acomodar melhor. Mas foi em vão, o bicho não apenas não arredava a pata de lá, como demandava uma zona ainda maior para repousar.

A hóspede fez de tudo para retirá-lo de lá. Na tentativa inicial, experienciou a fúria de um pinscher e teve o dedo arranhado pelos finos dentes de Bambi que, nada a fim de se mover um centímetro, empenhou-se em realizar uma investida devastadora contra quem o perturbava, rosnando e mostrando suas lâminas dentais para a visita. Pri usou a técnica de buscar expulsá-lo, recorrendo a uma almofada para se proteger das possíveis mordidas. Depois, procurou empurrá-lo com a perna de uma boneca, mantendo suas mãos a uma adequada distância de segurança. Não mediu esforços para conquistar seu cantinho na cama e varou a madrugada em uma luta árdua com o cachorro. Até que, exausta, ela desistiu da tarefa presumivelmente impossível e considerou que o mais sensato a fazer era ficar ali sentada na beira do colchão, esperando o dia raiar. Ela passou a noite em claro.

Eu tenho o sono um tanto quanto pesado. Não despertei de meus sonhos enquanto a convidada e o cachorro travavam uma batalha noturna para ver quem ficaria com a cama. Ao acordar, encontrei Priscila esgotada, mas já conformada com a derrota. Ela me descreveu o ocorrido e, demonstrando familiaridade frente à situação, fui até o cão, o segurei com firmeza agarrando sua barriguinha com as duas mãos e o retirei do colchão. A visita espantou-se. Esclareci a ela que Bambi sabia mensurar com precisão a dimensão do medo que os outros tinham dele e, a partir disso, impunha ou não os seus caprichos. O importante era, diante do orelhudo, não demonstrar temor. Mas, claro, nem sempre fazer é tão fácil quanto falar. Precisamos admitir que um pinscher enraivecido é mesmo algo apavorante.

Bambi era tão corajoso quanto persistente. Poucas coisas na vida o assustavam. As grades de ventilação eram uma delas. Como o bichinho tinha patas finas e pequenas, proporcionais a sua estatura, cruzar por grades de piso era um desafio imenso. Especialmente porque, por aqui onde moramos, há muitas construções com subsolo e, portanto, é frequente que se recorra a tais sistemas para dar vazão ao ar. Meu peludo jamais enfiou a pata em uma dessas armadilhas para minicães distraídos. Ele, como vocês já sabem, andava sempre muito alerta. Além disso, evitava ao máximo ter que passar por tais arapucas. Ao antever, de longe, as grades no chão, ele já começava a travar as pernas e fazia força para dar meia-volta e andar na direção oposta. Com o tempo e o convívio, ele desenvolveu uma tática para atravessar essas barreiras sem maiores transtornos. Conforme chegávamos perto dos vãos gradeados no solo, Bambi pegava impulso e corria com destreza para pular, de uma só vez, toda a extensão do buraco.

Ele se entrosou, sem demora, às rotinas e hábitos da cidade grande e mostrava-se contente, em particular, com o fato de morarmos em um lugar seco e quente, com poucos meses de chuva e duas ou três semanas de frio. É que, em decorrência da magreza que sustentava, ele não era entusiasta de inverno, de ventos (evitava intempéries capazes de arrastar seu corpo magro em um sopro), de aguaceiro ou de qualquer outro fenômeno natural com o qual sua baixa quantidade de gordura não estivesse preparada para lidar. O cão adorava a época de seca e a brisa árida da estiagem.

Possivelmente por influência minha, ele não gostava de triscar a pata na grama úmida. Na realidade, no geral, ele preferia caminhar por estradas retas e niveladas, em vez de se expor a tortuosos percursos no mato. À exceção da ocasião em que foi batizado, Bambi esforçava-se para evitar o contato com capim, arbustos e moitas. Ele foi, durante a juventude, o estereótipo do cão urbano. Nem na terra se atrevia a pisar. Quando via outros cães atravessando um gramado, após a chuva, ou enfiando o focinho no barro para brincar e se refrescar, fazia cara de enojado e dava as costas, sinalizando que não tinha interesse em se relacionar com os peludos de trejeitos mais rústicos. Era um autêntico venerador da metrópole, pelo menos naquela altura da vida.

Afora as férias longe da capital, o contato mais estreito que tínhamos com a selva eram os passeios em um terreno outrora baldio nos fundos do condomínio. A área tinha um mato ralo e, por isso, virou ponto de circulação de pedestres interessados em cortar caminho. O atalho, eventualmente, foi oficializado pelas autoridades públicas locais, que providenciaram a construção de uma calçada de fora a fora no espaço, além de uma eficiente iluminação advinda de esparsos postes acomodados desordenadamente. Ao entardecer, Bambi e eu costumávamos passear por lá. A caminhada era agradável e, naquele horário específico, poucos pedestres transitavam pela via. Como não havia ruas ao redor, eventualmente era possível permitir que Bambi desfrutasse da liberdade de ficar sem coleira e sem amarras.

Foi logo após um pôr do sol assim que o cão sofreu o terrível ataque de um ardiloso animal alado. Livre da guia, Bambi corria à minha frente animadamente, a uma distância de quatro ou cinco metros, mas sempre na calçada. Obviamente, ele não tinha interesse em sujar as patas na grama ou na terra. De repente, ouvi um ruído vibrante que ecoou com força na escuridão do início de noite. Bambi, envolto em toda a sua urbanidade, não percebeu o perigo que sobrevinha do alto de uma árvore e cortava o céu em sua direção. A coruja fez um mergulho no ar, inclinando-se para mirar no dorso do cachorro. O animal voador devia ter meio quilo, não mais que isso, mas, ainda assim, por causa de seu afinco em atacar o quadrúpede, fiquei em dúvida se ela o considerava predador ou presa.

Ao prenunciar a investida da ave, corri desesperadamente para tentar resgatar o cão, sacudindo os braços bem abertos e gritando apelos de angústia para que aquele ser desistisse de imediato da ofensiva contra Bambi. No que me aproximei dos dois, pude enxergar a coruja cravando as garras na pelagem do cão e o nervosismo me fez, até mesmo, acreditar que ela já estava levantando o peludo a um palmo do chão. Foi estarrecedor. Mas tudo transcorreu sem reais danos. Meu alarido espantou o pássaro e finalizamos o passeio com segurança.

Confesso, contudo, que, ainda hoje, ao ver uma coruja torcer o pescoço na rua, estremeço. Sei que elas costumam estar protegendo os seus ninhos e não representam riscos para nós. A lembrança daquela noite, porém, me provoca um frio na espinha, de modo que faço grandes desvios de percurso para evitar cruzar com tais aves. Como vocês podem observar, não disponho do mesmo tipo de coragem que meu pequenino cão. Por outro lado, a determinação é uma característica que sempre tivemos em comum. E estou determinada a fazer vocês se apaixonarem por Bambi, assim como eu me apaixonei por ele nessas últimas duas décadas. Vamos, então, falar de amor?

CAPÍTULO 6:

O amor está no ar, ou melhor, na brisa

Lá pelo ano de 2000 e coisa pouca, Bambi viveu seu primeiro amor. Ela era uma cachorrinha com mais ou menos o mesmo comprimento e altura dele, embora fosse um tanto mais rechonchuda. Ele, vocês devem se lembrar, sempre foi franzino. Talvez até por isso tenha se apaixonado perdidamente por Brisa, como era o nome de sua amada. Ela tinha uma beleza roliça e encantadora, e essa discrepância de volume entre eles desencadeou em Bambi uma atração imediata entre opostos.

A humana dela, sob recomendações veterinárias, vivia colocando-a em restritas dietas de emagrecimento. Mas desconfio que, para o meu peludo, isso não fazia o menor sentido: estou certa de que, para ele, Brisa era absolutamente perfeita em sua forma, pelo e tamanho. Ao menos era perfeita para ele. Contudo, às vezes, deixamos a insatisfação com os corpos, inerente à nossa sociedade, respingar no convívio com os cães. Bambi, por sua vez, também enfrentava, em casa, tentativas desajeitadas de dietas de engorda receitadas por suas humanas, não é mesmo? Ainda que, é claro, nunca tenhamos obtido sucessos significativos em tal empreitada.

Todavia, voltemos ao fio da meada. Brisa era uma pequena peluda de latido leve como o vento. Éramos vizinhos e, quando, por acaso, nos encontrávamos debaixo do bloco, Bambi sacudia seu pitoco rabinho tão euforicamente que, em termos humanos, poderíamos traduzir a sensação dele como um frescor na barriga ou, quem sabe, um sopro na alma. Era, em outras palavras, uma doce paixão canina. Eles viveram tardes alegres balançando as orelhas ao vento, entre cheiradas e breves lambidas. A cachorrinha, que também era uma pinscher e, portanto, não era de muitos amigos, vez ou outra, estranhava o entusiasmo de seu prometido e fazia movimentos ferozes para espantá-lo. No geral, contudo, a atração era mútua e os dois apreciavam os momentos compartilhados.

Um dia, porém, quando nossa matilha considerou que era hora de procurar um lugar maior para morar e a gente se mudou, perdemos o contato com Brisa e sua humana. Bambi, creio eu, nunca mais sentiu a brisa da paixão canina como naqueles anos da juventude. Restou só a saudade. Imagino que em suas longas tardes de reflexão e preguiçosos cochilos, ele se lembrava de sua amada com carinho. Depois de um tempo, a gente passa a amar as lembranças. Não sei ao certo se elas bastam. Mas, certamente, confortam.

Não foi só Bambi que, nessa época, sentiu pela primeira vez o curioso desconforto de parecer carregar borboletas na barriga. Eu, que já era oficialmente uma adolescente, também desenvolvi afeição por um vizinho do condomínio. Não, não era o humano de Brisa. Era um rapaz que vivia no prédio da frente e que eu e Bambi podíamos espreitar da janela de casa. Bambi, inegavelmente, só se empenhava em sondar a rotina do jovem para destacar que não fazia o menor gosto no relacionamento. O cão era enfático em demonstrar que qualquer candidato a meu pretendente deveria ser previamente aprovado por ele — e ele era bem criterioso.

A despeito do aborrecimento de Bambi com a situação, fiz amizade com o vizinho e demos início a uma sequência de encontros e caminhadas pretensamente descontraídas para conversar, rir e partilhar experiências. A descontração, porém, era forjada. No fundo, eu ficava nervosa e inquieta com o desenrolar daqueles diálogos que mais estavam nos silêncios do que nos ditos. O silêncio, igualmente, só existia na teoria. Porque Bambi me acompanhava em cada uma dessas caminhadas e ele nunca teve vocação para deixar as coisas quietas. Por isso ele rosnava, agarrava com força os pés do rapaz e latia estridentemente nos momentos mais inoportunos.

Foram meses desse arrastar de aflições e ansiedade. Eu não levava muito jeito para o flerte, e o moço, aparentemente, ainda menos. Até que, em um entardecer sossegado, quando já estávamos há longos minutos sentados no banco de uma pequena praça das imediações, algo diferente aconteceu. O rapaz voltou-se para mim, afoito, segurou meu rosto com convicção e me deu um beijo um tanto quanto desengonçado, mas, definitivamente, apaixonado. Bambi, sentado aos meus pés, não ficou nada feliz com a atitude do jovem. Ele se pôs a latir persistentemente, dando curtos pinotes de fúria e repulsa. Não sossegou até conseguir o que queria: interromper qualquer cenário de romantismo e me convencer a pegá-lo no colo.

Com o passar dos anos, o escarcéu da não aceitação se repetia com cada um que aspirasse algum futuro romântico comigo. Bambi colocava à prova a paciência dos rapazes, salientando que não era só a mim que eles deveriam conquistar. O primeiro namorado que apresentei à família foi devidamente analisado da cabeça aos pés pelo pequeno cão, que fitou o convidado torcendo o focinho, com cara de desprezo, depois deu meia-volta e se retirou. Sem a aceitação do peludo, o namoro, claro, não foi para a frente. Tempos depois, investi em uma segunda tentativa. Bambi, então, trocou o silêncio por gritos finos, porém cortantes. Sua persistência era ensurdecedora. Não havia como o romance dar certo. Por sorte — ou por perspicácia do terceiro e último pretendente —, na ocasião seguinte, de modo surpreendente, quando o rapaz abaixou-se para oferecer afagos ao bicho, Bambi mostrou-se satisfeito e deu-lhe as boas-vindas. Rodrigo, como é seu nome, foi convidado a ficar e a permanecer.

Estou, no entanto, adiantando demais a história.

Quero retornar um pouco no tempo, até esses anos em que eu e Bambi éramos desajeitados adolescentes, descobrindo novas emoções. A gente sabe que relações — humanas, caninas ou de qualquer outro tipo — não são feitas apenas de alegrias. O convívio e, sobretudo, a intimidade geram contentamento, mas também desgastes. Comigo e com Bambi não foi diferente. Houve um período em que eu ficava pouco em casa. Era fase de vestibular, e as aulas e estudos consumiam praticamente todos os meus dias — e parte das noites. O cão, como é de se imaginar, não estava habituado a receber tão pouco de minha atenção. Ele se engalfinhava em meus pés e calcanhares todas as vezes que eu despontava na porta de casa e cruzava o corredor apressada para voltar às minhas apostilas e colocar em dia as questões que poderiam potencialmente cair nas provas.

Em um desses nossos breves encontros na entrada do apartamento, enquanto eu passava apressadamente da sala para o quarto, Bambi agarrou meu pé com força e recusou-se a me soltar. Ele queria um pouco mais de mim. Mas eu tinha muitas cobranças escolares e quase nenhum tempo para notar as demandas do bicho. Com destreza, o segurei pela barriguinha com uma única mão a fim de removê-lo do sapato. O cão, raivoso, moveu-se com ainda mais rapidez e mordeu minha mão em um único golpe, com força. Fiquei assombrada. Puxei o braço em meio ao susto, o que piorou a situação, pois, com a contração, os dentes do cachorro rasgaram minha pele fazendo o sangue irromper de imediato. Olhei para Bambi, perplexa.

Não foi a primeira nem a última vez que ele me mordeu. Quem tem um cão tão pequeno quanto temperamental como o meu, deve estar preparado para eventuais dentadas frenéticas. Todavia, já estávamos com a relação estremecida pelas condições de estresse às quais ambos fôramos submetidos: eu como pré-vestibulanda e ele como cão, temporariamente, sem dona. Esbravejei e manifestei toda a minha chateação e decepção. Chamei-o de monstro mordedor. Ele retrucava, ladrando com agressividade. Ficamos de mal por semanas a fio. Com o transcorrer dos dias, tudo foi se resolvendo. E a gente aprendeu que, para haver amor, é preciso que haja também — e reciprocamente — respeito. Não que as mordidas tenham cessado por aí. Bambi só elaborou técnicas de morder sem machucar — tanto. Ao passo que eu entendi melhor que ele apenas necessitava de afeto, não de brigas.

Dizem que, por vezes, a gente só se dá conta do quanto ama quando está prestes a perder o ser amado. Não creio que o bem-querer tenha regras tão delineadas. Acho que, no dia a dia mesmo, ocasionalmente, a gente se pega pensando no tamanho de nosso amor e fica feliz. É bom se descobrir amando assim à toa, em contextos de quietude e serenidade. Ao falar em amor, me refiro a qualquer relação — inclusive aquelas entre cães e humanos. Mas admito que quando chances proeminentes de ficar sem alguém que amamos se ampliam diante de nós, a adrenalina e o medo deixam o amor mais latente. Talvez seja preciso exemplificar o que quero dizer.

Já descrevi que Bambi era um cachorro com trejeitos de gato. Assim sendo, tal qual esses pequenos felinos, o cão-suricate parecia ter sete vidas ou mais. Ele sobreviveu a um bocado de turbulentos perigos aos quais seu ímpeto por aventuras o expôs. Um incidente após o outro, eu constatava que, para amar um bicho tão diminuto e atrevido, é preciso imensa coragem e bastante controle emocional para não desfalecer cada vez que o peludo entra em uma nova confusão. Ir para a casa de tia Mara, irmã de minha mãe e uma tia adorável e divertida como as fadas-madrinhas de livros infantis, era, para Bambi, um acontecimento e tanto.

Tia Mara tinha uma casa espaçosa com um vasto quintal ornamentado com flores, plantas diversas e árvores frutíferas. Era, nas proporções cabíveis a uma conturbada metrópole, o Sítio do Picapau Amarelo da infância de Bambi. Ou, para adaptar ao bioma local, talvez o Sítio da Seriema ou da Coruja-buraqueira. Era um ambiente com muitas possibilidades para um cão explorador. E o bicho não perdia uma só chance de desbravar o terreno. Costumávamos passar os domingos por lá. O cachorro ficava solto e corria para cima e para baixo, perseguia, sem qualquer brecha de sucesso, os pássaros e lagartixas, cheirava a grama e os arbustos, escondia-se por entre a vegetação e brincava com os cães de minha tia.

Até que um dia, aproveitando que estávamos todos distraídos e sonolentos após um almoço dominical, Bambi se cansou daquele espaço limitado e decidiu cruzar a cerca, atravessar a rua e enfiar-se no quintal do vizinho. Furtivamente, ele saiu sem ser notado. Não posso relatar com precisão o que se passou para lá do portão do morador da frente. Somente soube que algo estava errado quando comecei a ouvir gritos de desespero vindos do lado de fora. Aquele gemido canino em um tom agudo era inconfundível. Em disparada, fui até a entrada da casa, para averiguar o que estava acontecendo.

Aqui, preciso contextualizar o cenário. O vizinho também tinha cachorros e eles eram, como Bambi, um pouco irritadiços e não tão abertos a criar novos laços de amizade. Entretanto, havia uma diferença gritante entre esses cães e o meu. Peço licença para usar o trocadilho quando digo gritante, mas, sim, os cachorros da casa da frente não eram nem de longe tão barulhentos quanto o meu. Diante de invasões à sua residência, eles se aproximavam aos poucos, cautelosamente, a fim de pegar o intruso desprevenido. Só então, a partir do momento em que possivelmente já era tarde, davam sinais de sua ferocidade. Era deveras estratégico.

Outra diferença fundamental entre Bambi e esses tais peludos era o tamanho. Eles eram uma dupla de pastores alemães. Ambos machos. Desse modo, arrisco dizer que pesavam algo em torno de quarenta quilos. Cerca de vinte vezes mais que o meu orelhudo. De altura, todavia, cada cão devia equivaler a apenas quatro ou cinco Bambis empilhados. A diferença de proporções entre eles, creio que já ficou claro, era significativa. Não sei se o miúdo pinscher não chegou a mensurar tais dimensões e foi simplesmente adentrando a casa alheia. Ou, vai ver, em um raro ímpeto de socialização, ele queria fazer novos amigos.

O fato é que Bambi invadiu o espaço dos pastores alemães sem grandes constrangimentos. Foi se achegando mais e mais, espremeu-se para trespassar um buraco no canto da cerca, embrenhou-se pelo jardim e começou a examinar as bordas da casa. Suponho que ele tenha sido pego completamente desprevenido pelos donos do lugar. Ao dar por si, estava encurralado pelos enormes bichos tantas vezes maiores que ele. O pequeno não tinha, nessa época, o hábito de desaforar cães desconhecidos — a não ser que eu estivesse por perto, aí ele latia no focinho dos outros e dirigia-lhes audaciosos insultos no linguajar canino, confiante de que eu iria protegê-lo.

Logo, imagino que ele simplesmente tenha corrido o mais rápido que pode, temendo por suas sete vidas, em direção ao ponto por onde entrara. Os proprietários do recinto foram logo atrás, latindo com truculência. Um deles abocanhou o ar a breves centímetros de distância de Bambi. O baixinho, enfim, alcançou a cerca e se pôs a trespassá-la com agilidade. Cruzou uma pata, depois outra, e outra. A última, no entanto, acabou por ficar presa em uma ponta de arame que, desgastada pelo tempo, estava fora do lugar. Assustado e sentindo a dor das fisgadas daquele fio metálico em sua coxa, o cão começou a gritar. Foi nessa altura da narrativa que eu apareci, no meio da rua, e, percebendo a conjuntura, vendo de relance os pastores alemães aos berros tentando alcançar meu cachorro, fiquei estática por breves segundos e não soube como reagir. O pânico, não raro, me congela. Naquela vez, e também em outras, tive medo de chegar perto e encontrar Bambi profundamente machucado. Tive medo de perdê-lo. Nessas circunstâncias, o tremor que dá nas pernas faz parecer que a gente vai desabar. Amar nos impele a sofrimentos assim porque, no fim das contas, a vida é cheia de riscos. Idas e vindas. Ganhos e perdas. Rapidamente fui obrigada a me recompor. Respirei fundo e me enchi de bravura. Apressei-me para desvencilhar o cão do pedaço de cerca que o impedia de fugir dali. Sua perna estava um pouco machucada, com um sangrento corte não muito profundo. Salvo isso, não lhe faltavam pedaços. Os danos foram essencialmente psicológicos; para ele e para mim. A partir de então, mantivemos um distanciamento seguro do exterior do quintal de tia Mara.

    O problema é que perigos não estão só fora de casa. Em meio às paredes internas de um lar, também podem ocorrer imprevistos. Na extremidade mais à esquerda da sala de minha tia, por exemplo, havia uma ameaça proeminente: uma escada em espiral feita de ferro e com vãos entre os degraus. Ela ligava o andar térreo ao piso superior onde ficavam os quartos e também uma

O cão que não cabia em si

agradável varanda com vista para uma reserva ambiental. Bambi não tinha coragem de se arriscar e escalar aqueles sinuosos desníveis, uma vez que ele era demasiado pequeno e poderia facilmente escorregar e passar direto por um dos vãos. O cachorro ficava diante da escada, mas sem colocar a pata nela, choramingando para que alguém o ajudasse a chegar ao outro andar quando estava a fim de se locomover entre os pisos da casa. Pegávamos o bicho no colo e o carregávamos ora para cima, ora para baixo, a depender dos seus desejos. Estávamos adaptados a essa dinâmica e não julgávamos que Bambi poderia inferir que tinha habilidade e tamanho para fazer o percurso sem um acompanhante. Em uma véspera de Natal, porém, ele se encheu de si e resolveu que era capaz de realizar o trajeto sozinho. Eu estava no andar superior, arrumando-me para as festas, no quarto de minha prima. Bambi entrou saltitante nos aposentos. Não soubemos interpretar os sinais caninos, mas creio que ele queria nos contar a novidade: aprendera a subir a escada por conta própria. Do piso inferior, meu tio gritou qualquer coisa solicitando nossa ajuda. Segurei Bambi com facilidade e descemos até a cozinha, onde depositei o cachorro no chão. Ele, nós não sabíamos, estava absolutamente realizado com sua descoberta. Decidiu subir a escada mais uma vez, a fim de investigar quem permanecera no outro pavimento. O peludo refez a rota com mais velocidade, sentindo-se confiante. Chegando lá, não encontrou nenhum humano e preferiu voltar. Pôs a pata no primeiro degrau com desenvoltura e repetiu o mesmo movimento no segundo. No terceiro, entretanto, escorregou e seu corpinho foi direcionado com intensidade para baixo, através do vão do degrau.

Bambi, não tenho dúvidas, gastou mais uma de suas vidas nessa ocasião. O acaso, ou simplesmente a gravidade, o levou para o canto da parede já no início da queda. A parede, por sua vez, era feita de pedras salientes que se agregavam uma a uma para compor a decoração da sala. Foi isso que salvou o cão. Ele desceu algo entre três ou quatro metros batendo o queixo na sequência de pedras. Ploft, ploft, ploft. Até alcançar o chão. Escutamos o estrondo e corremos para ver o que havia acontecido. Quando avistei, da outra extremidade do cômodo, o cachorro estatelado no assoalho, completamente enrijecido, com as quatros patas viradas para o ar, não pude mover um dedo. Fiquei parada, estarrecida.

Foi meu pai quem, depressa, o acolheu, posicionando seu corpinho no colo e massageando o animal com leveza até que seus músculos fossem se recompondo, assim como seu ânimo. Bambi não teve qualquer costela quebrada e nem mesmo ficou com sequelas depois desse imenso susto. Mas, por precaução, passei a reduzir suas visitas à casa de tia Mara. Suas estrepolias já haviam excedido os limites que meu coração podia suportar. Não queria que o cão colocasse em risco mais alguma de suas limitadas vidas de gato. Porque amor, além de provocar sobressaltos, também exige boas doses de cuidado. E foi isso que tentamos fazer com Bambi, deixando-o longe dos perigos de escadas e pastores alemães: tentamos cuidar dele do mesmo modo que ele sempre cuidava da gente, com dedicação e um monte de afeto. Só assim a gente sobrevive às ameaças do cotidiano.

CAPÍTULO 7:

A cachorra sem pelos

Trago, a esta altura da narrativa, uma história curiosa que mudou radicalmente o curso de nossas vidas. Devido à sua natureza, como vocês já devem imaginar, Bambi não gostava muito de gente. Nem de cães ou de qualquer outra criatura que se movesse em demasia diante de seu focinho. Ele desgostava, especialmente, de miniaturas humanas. Não pelo simples fato de serem crianças, mas porque eram, no geral, projetos de pessoas que não sabiam mensurar sua força e, na tentativa de acariciar o cachorro, acabavam por dar-lhe desastrados tapas e afagos com uma brutalidade desmedida. Não era só isso. Os pequenos, ainda por cima, tinham manias de correr, saltitar, dar piruetas e espernear sem pausas. Eram uma ameaça evidente para alguém que evita, a todo custo, ser esmagado por pés gigantes.

Eu, por minha vez, não tinha significativas objeções a crianças. Embora também não fizesse questão de tê-las por perto. Havia sido filha única até então. Quis, por muito tempo, ter uma irmã. Alguém que me fizesse companhia nas solitárias travessuras de infância e que pudesse preencher o vazio de ter de participar de desconexas conversas de adultos nas noites de meio de semana. Conforme fui crescendo, porém, já não acreditava mais que essa vontade pudesse se concretizar. Mas, em uma tarde qualquer de um novembro distante, para surpresa generalizada da família, minha mãe começou a sentir enjoos. Uma pontada de esperanças me fez sugerir que, quem sabe, ela estivesse grávida. Ela foi enfática na resposta: disse que não era possível.

Só que era.

Bambi tinha pouco mais de quatro anos quando notou que um estranho volume começava a surgir na região abdominal de minha mãe. Acredito que ele tenha achado aquilo peculiar, mas pensou que devia ser coisa de humanos. Ele parecia considerar nossos hábitos esquisitos e nos fitava com o olhar de quem crê que somos excêntricos seres bípedes com pelos excessivamente concentrados na cabeça. Em paralelo, íamos preparando o lugar para receber minha tão aguardada irmãzinha. Seria, eu não tinha dúvidas, uma menina. Imaginei cada detalhe: ela, ao contrário de mim, não teria grandes encantos por bonecas, seria uma criança doce, embora não submissa, faria piadas divertidamente sem graça, provavelmente adoraria matemática, usaria óculos coloridos e seria fã de Harry Potter. Seu nome? Eu logo escolhi: Laura.

Os meses, então, transcorreram com tranquilidade. Bambi sentia que havia um movimento de novos itens entrando na casa e sendo alocados em um cômodo que, outrora, abrigava o seu cantinho de sol matinal. O cachorro não demonstrou se abalar. Decerto concluiu que estavam reformulando seu território, tentando lhe proporcionar ainda mais comodidade, o que, do ponto de vista de um pinscher feroz, era apenas nossa obrigação. Até que, em uma tarde tão seca quanto ensolarada, Bambi andava, distraído, a desfilar pelo apartamento, quando percebeu, boquiaberto, a presença de um ser rechonchudo e careca no quarto. Ele andou de ré alguns passos para tentar averiguar melhor o ocorrido.

Chica, que estava às voltas com minha irmã recém-nascida, foi quem presenciou a cena. O cachorro, estupefato, sustentava uma feição de incredulidade. Seu comportamento, estagnado de frente para o berço, assinalava que ele simplesmente não podia acreditar que tínhamos levado um novo bicho de formato indefinido para a matilha. Ainda por cima, sem nem sequer consultá-lo. Suspeito que, lá com seus botões caninos, ele buscava assimilar os recentes acontecimentos. E calculava que, claro, para completar o desastre, os humanos deveriam exigir dele que a cachorra sem pelos ficasse sob seus cuidados, uma vez que ele era o cão de guarda da família.

Bambi assumiu, contrariado, suas supostas responsabilidades de cuidador. Ficou, dia após dia, ao lado da cama da mini-humana. Ela crescia rapidamente e o achava engraçado. Tentava acariciar o peludo, mas não levava o menor jeito. Ele rosnava para ela, sem paciência. Mas não a mordia. Certamente se sentia no dever de cuidar daquele bicho pequeno. Para ele, Laura era um bicho um pouco mole, uma exótica espécie de cão que não se aprumava e nem decidia se ia andar em duas ou em quatro patas. Lá pelas tantas, depois de uma porção de meses só deitada de cama em cama — Bambi, rapidamente, notou que a criatura tinha até uma cama móvel que usavam para levá-la para passear —, a cachorra sem pelos aprendeu a sentar.

Acomodada no tapete da sala, ela mantinha a postura rigidamente ereta e entrelaçava as pernas roliças de modo a fazer um pé encostar no outro. O orelhudo se punha, invariavelmente, a uma distância segura dela, a fim de vigiá-la e socorrê-la em caso de problemas ou acidentes e, ao mesmo tempo, mantendo um espaçamento razoável para evitar qualquer carinho excessivamente brutal. Laura ria daquele animal diferente dos demais que circulava pela casa. Ela se esticava e fazia esforços para tocar nele. Obteve êxito uma dúzia de vezes, ocasiões em que tentava apertar o cão com os braços ou cutucá-lo com algum de seus barulhentos brinquedos de bebê. Bambi não tinha a menor disposição para brincadeiras. Nunca foi de correr atrás de bolinhas ou de mastigar imitações de ossos. Quando Laura o perturbava, ele resmungava e saía em disparada na primeira oportunidade.

Foi um período mais conturbado do que esperávamos.

A pequena humana e o cachorro não conseguiam se acertar em suas investidas de aproximação. Em parte, porque, para Bambi, afeto não tinha nada a ver com ser espremido. Já Laura, que era um filhote de gente, só sabia demonstrar amor com abraços um pouco exagerados. Parece que filhotes, de qualquer tipo, levam um tempo para aprender a dimensionar sua própria robustez. Eles iam se repuxando para lá e para cá. A criança acertava o cão com um chocalho, o bicho gritava de fúria e a menina respondia com lágrimas de susto. Bambi, em alguma medida, entendia que ela ainda não entendia das coisas e não a atacava com suas devastadoras mordidas.

Contudo, não hesitava em lhe dirigir latidos e rosnados de indignação.

Para agravar ainda mais o quadro, o bicho seguia com sua rotina de patrulhar a vizinhança e resguardar a casa. Ele devia estar cansado, acumulando funções após o aparecimento da cachorra sem pelos. Minha mãe, por sua vez, vivia o esgotamento característico de alguém que cuida dia e noite de um bebê com meses de idade. Vocês sabem que Chica nunca foi uma verdadeira fã de cães. O convívio com Bambi, entretanto, amoleceu um bocado seu coração antes avesso a animais. Eles quase se tornaram amigos. Mas os primeiros meses de Laura impediram que a relação de Bambi e Chica avançasse um milímetro adiante. Na realidade, o que ocorreu foi justamente o contrário: houve um retrocesso generalizado.

Minha mãe investia horas a fio na atividade de ninar Laura e fazê-la dormir. Quando a criança, enfim, pegava no sono, eventos diversos aconteciam no exterior da casa e provocavam em Bambi uma vontade incontrolável de latir. Ele gritava furiosamente para os transeuntes na rua e, sem querer, acabava por atrapalhar os sonhos da miniatura humana. Ela voltava confusa de seu adormecer profundo, conquistado com enorme empenho pela mãe. O bebê abria os olhos irritado, esgoelando-se de insatisfação por terem lhe despertado de seu doce e preguiçoso repouso. Chica também bradava de raiva e desespero. Todas as suas tentativas de fazer a criança dormir eram abruptamente interrompidas por estardalhaços do cachorro.

Essas relações foram transcorrendo com inconstâncias, choros e alaridos pelas estações. Bambi, apesar de tudo, persistiu em sua tarefa de cuidar da menina, ainda que de longe. Chica gritava o nome do cachorro colericamente um turno sim, e o outro também, todas as vezes em que ele acordava a criança. Era Bambi para cá, Bambi para lá. Laura, aos poucos, conforme ia adquirindo mais coordenação, foi desenvolvendo maneiras de se encostar ao bicho sem lhe causar temor ou ira. Ele até passou a aceitar um afago aqui e outro ali daquela incomodativa cachorra sem pelos. Em uma manhã trivial, quando eu estava metida em meu quarto, com a cabeça em meio aos livros, fazendo o dever de casa, ouvi uma voz fina e desconhecida exclamar com empolgação: "Bãããmmbi". Foi a primeira palavra de Laura, embora minha mãe jamais vá admitir. Para ela, foi e sempre será "mamãe".

Com os anos, a menina foi espichando mais e mais. Passou até a pegar o cão no colo, ainda que ele ficasse desgostoso com isso. Ela, entusiasmada com a capacidade que adquirira de levantar o bicho, sacolejando-o no ar, repetia o movimento com rapidez. Fazia com os braços deslocamentos pendulares como se Bambi fosse uma espécie de ioiô canino. O semblante exasperado do animal, de olhos caídos, exprimindo sua revolta reprimida, sugeriam que, em breve, sua paciência chegaria ao limite. Esgotado, ele voltava o pescoço contra a mão da criança e metia com força os afiados dentes na pele dela, revirando a cabeça de um lado para o outro, para tentar morder todos os pedaços de braço ao seu alcance.

Laura chorava, manifestando sua imensa mágoa por ter sido atacada pelo orelhudo. Eles, então, conservavam alguma distância por um semestre ou dois. Até que ela se encorajava e, novamente, procurava cativar o cachorro. De início, oferecia-lhe delicados afagos. Bambi, com uma dose de resistência, cedia e deixava-se levar. Ela o punha no colo e, dia vai, dia vem, voltava a se sentir confortável para, mais uma vez, colocá-lo no ar, de ponta-cabeça, dando cambalhotas. O bichinho tentava se conter, mas o medo da queda e a fúria por ser tratado como uma marionete faziam-no, de novo, efetuar outro ataque. A mesma cena se repetiu por exatas nove vezes ao longo de uma década.

Não é que Laura fosse uma criança perversa, dessas que maltratam os animais, batem em cachorros e puxam o rabo de gatos. Não, não. Ela também não tinha aspirações por realizar macabras traquinagens com os bichos. Nunca, nem em seus sonhos mais remotos, cogitou jogar pedra em passarinho ou cortar os bigodes de um gatinho. Acho que tais hábitos, há muito, ficaram para trás, compondo memórias da infância de antigas gerações. Minha irmã sempre gostou de pets. Por isso mesmo, ela simplesmente ficava deslumbrada com as chances de poder, enfim, brincar com aquele ser quadrúpede que cuidava dela desde quando ela nem sabia andar.

Ela e Bambi só não compreendiam muito bem quais ajustes deveriam fazer para que a relação fluísse pacificamente, sem lágrimas, sustos e cambotas. No fim, o tempo passou. Quando menos esperávamos, a menininha transformou-se e cresceu até atingir o tamanho dos demais humanos. Bambi a admirava com orgulho, certo de que cuidara dela direitinho, enquanto Laura descobriu jeitos mais sossegados de conquistar a confiança do cão. Ela aprendeu a pegá-lo no colo sem precisar erguer os braços para o alto e fazer imaginários passos de dança e ele percebeu que aquela estranha cachorra que, então, já havia adquirido um monte de pelos concentrados na cabeça, podia ser uma fonte segura de mimos e carícias.

Acho que, vencida a polêmica fase em que ele perturbava o sono da mini-humana e superadas as humilhações de ser chacoalhado nas alturas, Bambi até passou a considerar que era bom ter um membro a mais na matilha. Mas, para ele, podíamos parar por ali.

CAPÍTULO 8:

A batalha perdida

No decorrer da vida, a gente sente um amontoado de diferentes sensações: alegria, tristeza, cansaço, raiva, medo, vergonha. Com os cães, não há de ser diferente. Ao ficar umas horas longe de Bambi, quando eu retornava para casa, via claramente em seu focinho a expressão de alegria. Assim como enxergava a tristeza em seu olhar nos momentos em que eu me dirigia até a porta do apartamento de mochila nas costas, preparada para ir para a escola, separando-o de mim por algumas horas. Ele sentia cansaço depois de longas caminhadas e ficava com raiva — muitíssima raiva — diante de gente que teimava com ele: ou seja, que não fazia exatamente o que ele queria. Medo? Bom, esse era um sentimento mais raro, mas eu o vi com medo em uma circunstância ou outra, embora não consiga mencionar nem uma sequer neste instante.

Pensando melhor, lembrei: ele tinha medo de altura. E, como meio metro já era alto para ele, a emoção de sentir as patas bambas por se encontrar em elevadas altitudes era corriqueira. Ignorando o próprio temor, ele insistia em estar, todo o tempo, no topo de móveis — como acima do encosto do sofá — ou nos pontos mais altos que era capaz de alcançar — tipo os colos humanos. Não sei se esse encanto por estar em posições superiores era devido às ascendências felinas que o bicho parecia ter ou se eram uma manifestação de suas origens genéticas de cão de guarda. Sei apenas que ele não titubeava em se posicionar no cume de qualquer lugar.

Resgatando fundo esses acontecimentos empoeirados na memória, recordei-me de um episódio que foi, para Bambi, possivelmente o mais assustador de todos. Eu, por outro lado, devo confessar que ri em demasia, a ponto de me jogar no chão e rolar para aplacar a dor abdominal causada pelas gargalhadas. Foi uma situação um tanto inusitada. Vou esclarecer melhor o ocorrido. Tínhamos os nossos rituais: diariamente, na hora do passeio, Bambi corria até o banheiro dos fundos do apartamento, que usávamos como uma espécie de despensa de ferramentas e itens de limpeza, e onde ficavam guardados os pertences "de ir para a rua" do peludo. Com prontidão, o cachorro dava um salto a fim de se acomodar na tampa do vaso. Ele sentava na privada, que estava sempre devidamente fechada, todos os dias, aguardando que eu acomodasse o peitoral em seu corpo. Na sequência, pulava de volta para o chão e íamos para a caminhada.

A mesma dinâmica se repetiu por incontáveis manhãs, tardes e noites. Não tínhamos o hábito de usar o cômodo da casa como um banheiro efetivamente. Mas houve uma ocasião em que algum parente que estava por lá, de passagem, achou que seria uma boa ideia recorrer a esse sanitário há tanto tempo inutilizado. A pessoa fez o que tinha de fazer, deu descarga e deixou a tampa do vaso levantada. Instantes depois, de maneira desavisada, eu e Bambi chegamos a esse compartimento da residência para dar início à nossa tradicional rotina. O cão veio correndo da sala, pegou impulso de longe e subiu com animação naquilo que, para ele, até então, havia sido só uma cadeira comum.

Bambi foi surpreendido pelo orifício que, inesperadamente, surgira no objeto. Ele afundou na água do reservatório de porcelana e, visto que estava molhado e o material do qual o item é feito não colabora para uma escalada bem-sucedida, o cachorro ficou ali, dando patadas n'água, em frustradas tentativas de retornar ao solo. Sei que a gente não deve rir da desgraça alheia. Isso nem é de meu feitio. Nem gosto de videocassetadas e não acho graça em ver tombos dos outros. Aquela cena, em específico, contudo, me causou uma intensa crise de riso que não pude controlar. Eu sabia que o bicho não tinha como se afogar, pois havia pouco líquido no interior da privada — e, embora fosse pequeno, ele não cabia no buraco do vaso para descer cano abaixo.

O contexto era cômico por ser insólito. Tudo acontecera muito rápido: o pulo, a queda, a água e, então, as contrações na barriga que me acometiam por achar tanta graça do que se passara, a ponto de não me permitirem ajudar o cachorro. Em questão de segundos, o desastroso esforço de iniciar um passeio tornou-se uma espécie de pegadinha sem câmeras escondidas em volta. Uma amiga que não gostava de animais, à semelhança de Chica, estava comigo naquele dia. Éramos vizinhas e colegas de escola e frequentemente ela me acompanhava nas perambulações de Bambi pelo mundo. Ela me encarava, pasma:

— Você não vai fazer nada?

— Eu não consigo! — respondi, com dificuldade, ao mesmo tempo em que me recostava na parede, para procurar algum apoio e recuperar o fôlego.

Bambi conservava os olhos esbugalhados de susto enquanto tentava, em vão, escalar a porcelana. Minha amiga, então, venceu a repulsa que sentia de pets e, com uma dose maior de esforço, contornou também o nojo de ter de enfiar as mãos na privada. Ela não vacilou em vestir um par de sacolas plásticas nas mãos e resgatou o cachorro com agilidade, depositando-o no tanque. Por sorte, era uma tarde quente de verão e aquele banho acidental não provocaria maiores danos à saúde do cão. Consegui me recompor na sequência e lavei-o adequadamente no chuveiro, caprichando no xampu canino. O passeio transcorreu sem novos inconvenientes. Mas Bambi nunca mais pulou rumo à tampa do vaso com tanta convicção. Ficou, pela primeira vez na vida, amedrontado. E, depois, ressabiado.

Sim, ele sentiu alguns medos. Vergonha, entretanto, foi algo que, em nenhuma circunstância, eu o vi passar. Humanos mundo afora relatam que seus cães, quando comem algo que não podem ou fazem xixi onde não devem, encurvam-se feito bolinhas, metem o rabo entre as patas e vão para a cama ou para o canto, cabisbaixos. Eles têm consciência de que erraram e ficam constrangidos, receosos frente a represões que estão por vir. Bambi não. Quando ele fazia algo errado, não parecia se abalar com as consequências do ato. Permanecia firme em sua postura de quem não sabe o que é se equivocar. Se o deslize resultasse em broncas ou olhares de censura, ele se mostrava ainda mais imperturbável. Sentava diante de nós e nos encarava com determinação, feito um semideus com mitológicos ares de perfeição.

Havia também, volta e meia, um sentimento de posse e territorialismo por parte do cão, traduzido em atitudes de ciúme. O orelhudo tinha ciúmes de cada um de seus humanos — afinal, para ele, éramos suas propriedades. Nunca fomos os donos de Bambi. Ele é que era dono de todos nós. Ele torcia um pouco o focinho quando nos abraçávamos e trocávamos carícias, mas, vá lá, até que relevava esses disparates. Trocar afetos com seres de fora, todavia, era algo que ele considerava inaceitável. Devido a isso, creio, teve uma juventude de poucos amigos. Eram raros os cães que ele tolerava. Para ser sincera, nem com os bichos inanimados ele era receptivo.

Para a surpresa do peludo, eis que, certo dia, surjo eu com um par de cachorros sem cheiro e sem vida em casa. Mas, ainda assim, eram cachorros. Tinham cara de cachorro e orelhas, definitivamente, caninas. Bambi me confrontou com imensa irritação. A partir do instante em que ele notou que aqueles estranhos animais andavam agarrados no meu pé — pois eram um par de pantufas —, o cão sentiu-se definitivamente ultrajado. Por repetidas vezes, entrou em ação, decerto prezando por minha segurança: mordia com firmeza um dos pares de sapato, sem soltar, mesmo que eu sacudisse a perna inteira.

Bambi, entretanto, não era de todo irredutível. O tempo era capaz de amaciar sua fúria. Lentamente, ele foi se aproximando daquela dupla canina — que apelidamos de pantufos. Descobriu que, nas noites frias, os cães inanimados até podiam ser boas companhias. Eles guardavam um calor dentro de seus estofados fofinhos e, bem, meu orelhudo aprendeu a tirar proveito disso. Os pantufos se tornaram uma nova caminha de cachorro e eu tive de me virar, andando descalça por aí. Tudo bem. Em nome da serenidade do convívio doméstico, valeu a pena.

Passados dois ou três anos da chegada de Laura, meus pais começaram a considerar que o apartamento em que vivíamos era pequeno para abrigar um elétrico pinscher com índole de suricate, uma enérgica criança aprendendo a andar, falar e explorar o mundo e uma adolescente com traços de rebeldia. A gente se mudou para um apartamento mais distante, porém consideravelmente maior. Pouco depois, entrei na faculdade. Foram muitos eventos e muitas mudanças em sequência. E o peludo estava ali, sempre ao nosso lado. Engraçado como hoje, rememorando, parece que, em um piscar de olhos, Bambi já estava com oito anos. Em idade canina, para um exemplar mini, era como se fosse um homem na faixa dos cinquenta anos. Ele era um cinquentão enxuto, ainda cheio de disposição — e raiva.

A gente nem imaginava, nessa época, mas o melhor ainda estava por vir.

Nos anos que se seguiram, os pelos esbranquiçados de Bambi passaram a despontar de maneira mais acelerada. Quem adota um cão não costuma pensar a fundo que, eventualmente, o bichinho vai envelhecer. Embora envelhecer seja parte intrínseca do ser. Mas, no geral, o imaginário da gente faz parecer que cachorros serão para sempre criaturas vibrantes com um sacolejar agitado de rabo e uma maestria infindável para correr, saltitando em cavalgadas caninas. Não, o rabo nunca para de se remexer mesmo. O resto do corpo, contudo, vai mudando. Os passos deixam de ser tão frenéticos e um desejo mais acentuado de dormir — pois é, pasmem — passa a tomar conta de seus dias. Em Bambi, o avançar da idade foi se achegando bem aos pouquinhos. A rabugice foi o primeiro sinal. Se bem que, por essa perspectiva, poderíamos dizer que ele sempre foi idoso. É que os cães, assim como os humanos, vão carregando trouxas e bagagens de atributos e manias conforme percorrem os anos. E o traço mais marcante de meu pinscher era ser adoravelmente ranzinza. Ele sentia uma raiva colossal. Não aceitava, por exemplo, que a gente dançasse perto dele. Às vezes, em sábados desocupados, colocávamos uma música animada no som na sala, eu e meu pai, e dançávamos em pulos pouco graciosos, mas bem intencionados. Bambi não cabia em si de tanto ódio: ele grunhia e abocanhava nossos pés ordenando que parássemos. Fabiano brincava que, se tentássemos deixar o cachorro cinco minutos de frente para uma pista de dança, assistindo a movimentos e coreografias de grupos humanos, ele teria um ataque do coração nos primeiros trinta segundos.

Detestar — as movimentações excessivas, os barulhos repetitivos, os cachorros inquietos, os pés caminhantes, a chuva gelada e uma vasta lista de outros incômodos — foi algo que Bambi sempre fez com afinco e, com o transcorrer dos anos, só se aperfeiçoou na tarefa. Houve uma época que preocupou a todos nós. Vocês, provavelmente, se recordam: o cão não sabia ficar sozinho. Com a experiência adquirida a partir de seus pelos brancos, ele percebeu que cavar a porta e destroçar a madeira até sangrar as patas não era uma estratégia tão eficiente quanto latir até os humanos voltarem para casa. O que ele sabia fazer de melhor, sem sombra de dúvidas, era latir. Foi se tornando autoridade reconhecida em latidos pelos outros bichos da região. Inclusive os bichos humanos. Há que se admitir: seus agudos e persistentes berros eram, com efeito, enervantes. E ele tinha plena ciência disso. Logo, não hesitava em usar seus brados como recurso para obter o que desejava.

Em algum ponto de nossa história familiar, precisávamos todos sair de casa durante as tardes para exercer diferentes atividades cotidianas que eram inadiáveis. Laura ia para a escolinha, Chica e Fabiano dirigiam-se ao trabalho e eu me encaminhava para a faculdade. Bambi se via, por consequência, sozinho em um vasto apartamento vazio. Ele não lidava bem com os momentâneos abandonos e se punha a latir compulsivamente — é sério, ele nunca, nunca mesmo, se cansava. Os vizinhos, via de regra, estavam adaptados às algazarras do cão nanico. Dividir um prédio implica aceitar o ritmo e as peculiaridades das vidas alheias, e eles entendiam que ter um pinscher significa conviver com bastante barulho.

Até que, um dia, por infortúnio, justo nesse período de desajustes de agendas em que Bambi tinha de ficar um par de horas sozinho em casa, havia um morador novo no edifício. Era um senhor, ao que tudo indica, de audição extremamente sensível. Um dia, ele reclamou dos sapatos de salto alto de minha mãe. Ela passou a deixar as sandálias ao lado da porta toda vez que chegava do trabalho. Depois, ele resmungou de algum ruído, já não me lembro de qual, advindo da cozinha. Demos um jeito. O caso se agravou, de fato, quando ele empreendeu uma série de protestos formais sobre os latidos de Bambi, ameaçando nos denunciar para a polícia por maus-tratos.

Honestamente, creio que o restante da vizinhança, se não nos conhecesse e não soubesse como cuidávamos do animal, também teria desconfiado que éramos desleixados com o cachorro ou que agredíamos o bicho. Eu nem sei descrever o quanto o orelhudo era capaz de ser estridente e de incomodar uma edificação inteira por incalculáveis horas com a potência de sua garganta. Bambi foi — já disse, mas insisto — o cão mais obstinado que pôs as patas neste redondo planeta. E o ecoar de seus latidos era a prova mais concreta disso. Isso posto, ficamos apreensivos com as intimidações do vizinho e com receio de que pudessem nos separar do quase-suricate.

O embate se estendeu por semanas. Fazíamos de tudo para conter os sons da casa. As mudanças na rotina eram contornáveis. Com dificuldade, reorganizamos horários para evitar que o cão ficasse só. Mesmo assim, ele era um pinscher. E manifestar-se por meio de alaridos perseverantes era a única forma de comunicação que ele dominava. Isso não tinha jeito. Bambi seguia se irritando com mosquitos, com pessoas se mexendo quando ele estava no colo ou com pernas se movendo perto de suas patas, o que ocasionava esporádicos latidos, seguidos de advertências do vizinho. Felizmente, não foi só com o peludo que ele se incomodou. Outros burburinhos das imediações fizeram-no desistir de morar por lá. O homem se mudou e Bambi pôde voltar a latir em paz. Brincadeira — ele nem havia parado! Latia sempre que tinha vontade. Nós, porém, retornamos a caminhar repousando o pé inteiro no chão, sem medo de que um deslize pudesse nos fazer perder o nosso barulhento mascote.

A despeito do vizinho, ter um cão chateado e enfurecido em casa por estar sem a matilha por perto era algo que também nos entristecia. Naqueles tempos, a solução mais certeira para atenuar o desespero de Bambi frente à solidão foi a companhia de Danielle. Ela era uma moça baixinha e risonha que foi contratada, a princípio, para cuidar de Laura no contraturno da escola. As duas até que se davam bem. Entretanto, isso não era nada comparado à relação que a jovem acabou por desenvolver com o cachorro. O bicho, vocês sabem, nem gostava de gente — quanto mais de gente estranha. Mas, de alguma forma, Danielle conseguiu conquistá-lo. E vice-versa.

Eles desciam e permaneciam horas na frente do bloco, vendo o frenesi de carros e pessoas, de um lado para o outro, sem parar. Acredito que existir, com frequência, é um processo um tanto solitário. De vez em quando, porém, a gente se depara com umas parcerias que nos preenchem. Foi assim que aconteceu com Bambi quando ele escolheu acolher Danielle. Ele gostava dela o bastante a ponto de, nas férias (quando as longas viagens de carro até os pampas foram ficando mais difíceis e cansativas para ele), tirar umas temporadas na casa da moça de sorriso fácil. Ela ajeitava todo o espaço para receber a pequena criatura, criava barreiras no quintal para evitar que Bambi atacasse seus grandes cães e reservava um cantinho especial no quarto para acomodar a cama do miúdo animal. Seu marido, Raimundinho, colocava o orelhudo no colo e pensava seriamente em efetuar um sequestro e não devolvê-lo de novo para nós.

Uma ou duas vezes, quando Danielle não pôde hospedar o focinhudo, Bambi foi convidado para passar o período de festas com um amigo de meu pai que morava em um bairro próximo ao nosso. Gentilmente, ele e a esposa se ofereciam para encarregar-se do pet por alguns dias, tratavam-no muito bem, presenteando-o com petiscos e distraindo-o com brinquedos. Além disso, a residência contava com um cãozinho próprio. Seu nome era Chicó. Era o tipo de bicho que minha mãe gostaria que o nosso tivesse sido: peludo e fofinho. O anfitrião, estou certa, recebeu o convidado de patas abertas, com receptividade. Mas meu protótipo de suricate misturado com gato — isso é outra certeza — deve ter latido e apoquentado o dono da casa exaustivamente.

Após o ano novo, quando voltei de viagem e fui buscar o Bambino, ele retornou com um aspecto cansado. Ao acariciá-lo, percebi que suas costas continham uma marca de lesão em toda a extensão dorsal. Ele havia se metido em uma briga e, claramente, saíra derrotado. Não sei o que aconteceu. Suponho que Bambi e Chicó tenham unido forças para se meter em alguma confusão na rua com outros cachorros das imediações. O cão atacado, acredito eu, deve ter perdido a paciência com o pinscher e cravado os dentes nele para espantá-lo e fazê-lo parar de perturbar. Dizem que Bambi e Chicó, juntos, eram uma dupla de baderneiros afoita por bagunça. Tudo o que sei é que, desconsiderando o fato de o cão ser meio felino e, portanto, sem contar com o arranhão do gato em um passado longínquo, Bambi ainda não tinha realmente arrumado confrontos corporais com bichos da mesma espécie — com pés humanos ele sempre arrumava.

Tal experiência foi sua primeira de muitas brigas. E também sua única derrota. Além de uma boa quantidade de sabedoria e de vários pelos brancos, o tempo, no fim das contas, convenceu Bambi de que ele tinha todo um potencial físico para o ataque parcamente explorado e — vejam que contrassenso! — que podia caber mais e mais fúria naquele diminuto corpinho.

CAPÍTULO 9:

O heroico cão de patas tortas

Bambi completou dez anos na mesma época em que me formei na faculdade. Não fui apenas eu que, nesse período, foquei no desenvolvimento de técnicas e no aprimoramento de habilidades para me especializar no que gosto de fazer. O cão investiu fortemente seu tempo em aperfeiçoar a aptidão nata que tinha para latir. Mas não só isso. Vocês, talvez, se recordem: ele também adorava, além de gritar e de se enfurecer, roubar uns petiscos dos humanos. Sempre foi um apreciador de pizzas, por exemplo. E não perdia oportunidades de se pôr em duas patas, feito suricate, para comover olhares de seres capazes de colocar os dedos em forma de pinça a fim de pegar as comidas e direcioná-las até a boca do focinhudo.

Fazer malabares, imitando um bípede, era eficiente e, ao mesmo tempo, divertido. Contudo, para Bambi, a emoção de surrupiar um pedaço de qualquer lanche, sem ser notado por um humano, era ainda melhor. Ele tratou de usar o tempo livre, ou seja, aquele fora do expediente como guarda da casa, para refinar suas estratégias de roubo de sanduíches. Certa vez, quando eu estava começando a namorar com Rodrigo — vocês se lembram dele: foi o único de meus pretendentes que o cão recebeu de patas abertas —, convidei-o para jantar lá em casa. Eu não tinha, então, qualquer destreza com a cozinha. Por isso, resolvemos preparar alguns sanduíches.

Tal qual minha mãe costumava fazer, elaboramos os lanches na cozinha e fomos levando, um a um, para a mesa de jantar. Bambi já estava à espreita, preparando sua emboscada. Não era porque ele não tinha decidido arrancar de imediato um pedaço da mão ou do pé daquele humano atrevido que surgira na casa, que ele não ia, ao menos, pregar-lhe uma peça. O cachorro deu um salto para alcançar a cadeira destinada ao convidado, posicionou as patas feito gente, na mesa, deixando apenas as almofadinhas encostarem delicadamente no tampo, e inclinou a cabeça com destreza para roer, primeiro, os excessos de ingredientes que estavam para fora do pão.

Neste momento, Rodrigo vinha da cozinha, trazendo mais um prato. Ele se deparou com o animal naquela posição engraçada para cachorro e preferiu ficar parado, de maneira silenciosa, um pouco escondido atrás da parede que dividia os cômodos, para ver o que iria acontecer em seguida. Bambi foi girando o pão com a boca de modo a devorar todo o excedente de recheio. Depois abriu o sanduíche, retirando a fatia superior com a agilidade de quem já está habituado a praticar aquele tipo de delito, e pôs-se a comer o restante do que preenchia a refeição. Depois de deixar apenas dois pedaços de pães levemente mordidos na travessa, o bicho se deu por satisfeito. Desceu da cadeira, deu uma esticada no corpo para acomodar a comida dentro de si e virou as costas rumo ao corredor. Rodrigo me relatou o episódio achando a maior graça. Acho que foi aí que os laços entre ele e o cão se fortaleceram em definitivo. Bambi o conquistou. E era recíproco. Nem só de ração — e de roubos de pizzas e afins — viveu o meu cão. Ele também se alimentou, por um par de anos, das sobras de papinhas caseiras que faziam para Laura quando ela era bebê. O peludo se lambuzava e amava a nutritiva receita, principalmente nos dias em que havia beterraba. Os ingredientes eram, basicamente, os mesmos de uma alimentação natural para cães. No que Bambi atingiu uma idade mais avançada, implementamos essa dieta em sua rotina — o que é assunto para mais adiante.

A questão é que, como nós, humanos, o cachorro também precisava manter uma saúde bucal adequada para evitar problemas futuros. Isso fazia com que Fabiano se empenhasse, volta e meia, em escovar os dentes do bicho.

Confesso que eu mesma não tinha coragem suficiente para me arriscar na empreitada. Vocês já enfrentaram a fúria de um pinscher assim, tão de perto? Não é para qualquer um. Meu pai utilizava uma escova dental bem comprida, com mais de vinte centímetros, de um jeito que podia manter suas mãos a uma distância segura das mordidas enraivecidas de Bambi. O cachorro tinha pavor de escovar os dentes. Ao ver, de longe, aquela vareta prolongada de estranhos pelos na ponta, que tentavam enfiar em sua boca, o bicho mostrava a braveza de seus antepassados lobos selvagens. Tamanha raiva nos fazia temer que o cão tivesse um repentino ataque cardíaco, e, com o tempo, fomos espaçando cada vez mais a rotina de escovação.

Foi um erro. Se eu pudesse mudar algo na trajetória de vida do Bambi, creio que seria isso: teria insistido mais em higienizar seus dentinhos, a despeito da irritação e da indisposição que ele sentia para tal. A prática regular de escovação teria, provavelmente, evitado o abscesso que o cãozinho veio a ter na gengiva, quando estava com mais de doze anos de idade. A falta de higiene bucal acabou por ocasionar no peludo uma grave e dolorosa infecção gengival. A veterinária que o atendeu na ocasião medicou-o, receitou um tratamento de algumas semanas, mas não aconselhou procedimentos cirúrgicos, tendo em vista a faixa etária do cachorro. O focinhudo se recuperou e voltou a ter o mesmo ânimo e nervosismo costumeiros. Mas ficou com uma cicatriz abaixo do olho, outro resquício que carregava na pele para reafirmar a perseverança que tinha em continuar vivo, de patas bem firmes e orelhas em pé, latindo em alto e bom som por este mundo.

    O natural desenrolar do existir me levou a sair da casa de meus pais, após conseguir um emprego estável com o qual podia me sustentar. Fui viver em uma diminuta quitinete, mais próxima do centro da cidade — e, portanto, do trabalho. Bambi ficou, em um primeiro momento, com o restante da matilha. Nos fins de semana eu ia até lá ou o buscava, para que ele pudesse passar um tempo comigo. Mas simplesmente não era possível deixá-lo sozinho no novo apartamento. Ele resmungava em forma de persistentes latidos do minuto em que eu me retirava para ir trabalhar até o instante em que eu punha, novamente, o pé em casa. Eram lamentos coléricos que chamavam a atenção da vizinhança, que se comovia com a situação de aparente abandono do bicho.

A dinâmica de guarda compartilhada gerava, ademais, atritos com meu pai, que também queria ter o cãozinho bem perto indeterminadamente. Controlávamos com afinco as condições em que o outro estava mantendo o peludo. De modo que, enquanto não pudesse proporcionar condições de calma e harmonia, garantindo uma sensação de acolhimento ao cachorro, não poderia ter sua custódia para mim. Em um de meus esforços para tentar adaptá-lo ao novo lar, levei-o para passar comigo um feriado prolongado. Ficamos bem juntinhos por três ou quatro dias. Tentei cativá-lo com uma cama nova — em formato de toca, como havia sido sua primeira caminha —, com novos potes de ração e com petiscos de sabores diversos. Ele parecia bem e confortável no ambiente.

Até que a segunda-feira chegou, trazendo com ela o horário de expediente. Fui trabalhar de coração na mão. Não queria que Bambi sofresse, estando sozinho em um lugar pouco conhecido. Por isso, abri mão do almoço para, no intervalo do meio-dia, voltar para casa e espiar se estava tudo bem. Do corredor do térreo não pude constatar qualquer ruído atípico no edifício. Conforme me aproximava do apartamento, o silêncio permanecia. Abri a porta e encontrei o cão tranquilo e sonolento vindo em minha direção. Suspirei aliviada. Quem sabe, desta vez, ele poderia ficar ali comigo.

Doce engano.

No fim da tarde, quando retornei em definitivo da jornada de trabalho, deparei-me com o zelador do prédio apreensivo, nos arredores de minha porta. Ele me alertou sobre o desespero do cão, que havia passado o turno inteiro latindo sem pausas. No corredor, o simpático senhor que morava na unidade ao lado da minha relatou que sentira pena do bicho, em especial, com o arrastar das horas, mas não sabia o que fazer para acalmá-lo. Ao adentrar a casa, avistei, de imediato, o cão em cima do sofá. Bambi já estava com treze anos. Em virtude da idade e, também, em função de suas patinhas tortas que o faziam desfilar ao modo Gisele Bündchen, ele vinha, há algum tempo, sentindo dificuldades para descer dos móveis — embora ainda não tivesse tanto problema para subir.

O cachorro, suponho, sentiu-se ainda mais ultrajado quando, além de ter de lidar com minha partida, descobriu-se preso no sofá, sem conseguir descer da mobília. Ele deve ter latido com uma indignação múltiplas vezes mais acentuada. De maneira que, após três ou quatro horas, ficou rouco. A rouquidão que acometeu o animal foi absolutamente fora do comum. Bambi estava habituado, como vocês já sabem, a latir sem parar e sem se afetar por abundantes quantidades de horas. Deduzi, então, que a raiva que ele sentira naquela ocasião fora genuinamente grande. Devolvi o orelhudo para nossa outra residência e me pus a procurar alternativas para trazê-lo para viver comigo em definitivo.

Alguns meses adiante no tempo, minha avó se machucou e tivemos de ir às pressas para nossa distante e bucólica cidadezinha. Pedi a Rodrigo, meu namorado, que cuidasse de Bambi enquanto o restante da matilha estivesse fora. Ele não tinha grandes intimidades com pets, mas, uma vez que mantinha com o meu uma boa relação, aceitou o desafio. Levou o peludo para a casa onde vivia com sua mãe e seu irmão. O cão já conhecia o lugar e, vez ou outra, convivia com Meg, a imensa american staffordshire terrier de Murilo — irmão de Rodrigo. O pinscher, evidentemente, acreditava ser maior e mais forte que a anfitriã canina e passou os dias tentando mostrar a ela quem, de fato, tinha vocação para liderar a cachorrada.

A cadela, de acordo com Rodrigo, havia parado lá por consequência de uma espécie de golpe de Estado que o irmão, com apoio da mãe, impôs ao convívio do grupo. Os três combinaram que só poderiam ter um cachorro quando, ao menos, dois membros da família aceitassem a ideia. O quórum, por um ou dois anos, não era atingido porque apenas Murilo tinha interesse na proposta. O jovem, então, aguardou com perspicácia que o irmão mais velho fizesse uma longa viagem — ele foi comigo conhecer os pampas — e convenceu a matriarca de que adotar um bicho seria fundamental para sua plena felicidade. A mãe, comovida, cedeu à vontade do caçula. Em alguma altura das férias, Rodrigo recebeu do irmão uma sintética mensagem indicando que ele visse quem havia chegado ao lar, acompanhada da foto de um roliço filhote branco com manchas marrons de algo que parecia um pit bull. Tratava-se de Meg, uma peluda cujo tamanho era inversamente proporcional à sua fúria. A despeito de seu porte tão corpulento e parrudo, ela era dócil e gentil e tinha calma e paciência suficientes para aguentar os pulos de Bambi tentando atacar seu focinho.

Val, a mãe de Rodrigo, havia votado pela escolha de um cão menor, do tipo que se pode pegar no colo sem dificuldades por mais de três segundos, de modo a não comprometer a coluna ou não sentir dor nos braços na manhã seguinte. Seu desejo, porém, não prevaleceu. Ela teve de aprender a lidar com uma cachorra que, em meses, ultrapassou mais de vinte insustentáveis quilos para uma humana de baixa estatura e reduzida força sair carregando por aí. Por isso, quando conheceu Bambi, minha sogra ficou entusiasmada com a possibilidade de segurar o bicho no colo e deslocar-se para cima e para baixo com o focinhudo nas mãos. O cachorro, como era de se esperar, não se mostrou receptivo, fazendo ameaças com os dentes expostos e com potentes rosnados quando a, para ele, desconhecida mulher aproximou-se, ameaçando tomá-lo de mim. Ela, decepcionada, resignou-se com o ocorrido e passou a conservar alguma distância do bicho.

Portanto, naquele conjunto de dias em que Bambi se hospedou no recinto da família, Val limitou-se a oferecer-lhe carinhos de leve e a alimentar-lhe com pedaços de frango cozido com legumes e sem sal, a fim de abrir o apetite do pet e evitar que ele ficasse sem comer durante a minha ausência. Até a memorável tarde em que ela precisou deixar alguns objetos no armário externo do apartamento. Esse anexo deslocado da casa ficava no estreito corredor, quase de frente para a porta, virado para a escada. Enquanto a humana se dirigia ao local, os dois cães presentes na casa foram atrás para bisbilhotar o que estava acontecendo, posicionando-se no limite máximo entre a sala e a área de entrada, mas sem colocar as patas para fora da residência.

Val abriu com a chave o armário embutido, que tinha as dimensões de um banheiro apertado, e entrou na peça para poder acomodar melhor uma caixa na prateleira mais alta. Um súbito vento invadiu o local pela pequena janela do corredor e fez com que a porta da despensa se fechasse com brutalidade. A chave ficara para fora, pendurada na fechadura, e aquele compacto armazém para além dos limites do apartamento não tinha maçaneta interna. Era possível destrancá-lo somente por fora. O cômodo era escuro e muito pouco arejado, contendo só uma fresta acidental na parede, por onde entrava alguma luz do dia. A senhora, percebendo-se trancafiada, começou a fazer os cálculos mentalmente para tentar dimensionar quanto tempo teria de ficar ali até que os filhos retornassem de suas respectivas atividades. Seriam, com otimismo, ao menos duas ou três horas de enclausuramento.

Com esperanças de que algum vizinho pudesse escutá-la, ela se colocou a gritar com firmeza. Os minutos, lá dentro, pareciam equivaler a uma eternidade. Os cães, sentados na porta do apartamento, assistiam a cena intrigados. Ao notarem que algo estava errado, ficaram bastante inquietos. Meg, ouvindo os gritos que vinham do lado de lá do armário fechado, começou a chorar baixinho, mostrando-se incomodada com o sofrimento de sua humana. Mas ela não podia fazer muito para ajudar, uma vez que não tinha permissão para sair de dentro de casa sem explícitas ordens dos bichos bípedes que a criavam. Frente ao dilema, ela deitou-se encostando as patas dianteiras no capacho e chorou de aflição.

Bambi, por sua vez, podia contar com a liberdade da indisciplina para tomar uma atitude diante do problema. Ele ultrapassou o limite entre o apartamento e o corredor e foi até a porta da despensa. Cheirou o acesso cerrado da peça e depois deu as costas, voltando-se para a escada. O peludo, contudo — e como já destaquei —, estava com cerca de treze anos, o que equivale, em idade de gente, a um senhor de setenta. Isso o fez titubear diante do primeiro degrau. Ele sabia que não possuía mais o mesmo vigor para subir e descer as muretas de concreto que as pessoas usam para se deslocar entre andares de um prédio. Mas precisava cumprir com suas funções de cão de guarda e zelar pela humana presa no armário.

Receoso, porém com muita obstinação, o bichinho posicionou-se meio de lado, de modo a garantir que as patas mais firmes ficassem na frente, e foi descendo, um a um, os degraus que ligavam o terceiro ao segundo andar e, na sequência, os que conectavam o segundo piso ao primeiro. Antes de chegar ao térreo, ele vislumbrou a sombra de uma mulher que vinha carregando sacolas em direção a um apartamento vizinho. O cachorro correu rumo à moça e latiu insistentemente ao passo que contornava os pés dela. A moradora do edifício contemplou o animal com certo aborrecimento; não entendia por que aquele ser minúsculo não parava de berrar. Pediu que ele ficasse quieto e tentou arredar o pé para longe do miúdo. Entretanto, ele era insistente e não parava de gritar.

A moça notou, quase por acaso, um som longínquo e abafado vindo de algum andar superior. Ela percebeu que, talvez, o cão quisesse mostrar-lhe algo e deixou que ele a guiasse. O bicho se voltou para o caminho da escada e, com dificuldade, começou a subir os degraus para retornar ao ponto de onde viera. A vizinha o pegou no colo e eles foram percorrendo juntos a sucessão de lances de escada, ao mesmo tempo em que o barulho ia ficando mais alto e nítido: era uma mulher pedindo socorro. Ao deparar-se com o armário fechado e com os brados que vinham lá de dentro, a moradora compreendeu: o cachorro fora até ela procurar ajuda para resgatar a pessoa trancada na despensa.

No instante em que foi liberada daquele enclausuramento que parecia se estender sem fim, Val foi colocada a par do ocorrido. Soube que Bambi a havia resgatado e que, para tanto, tivera de vencer o medo de descer escadas e precisara desafiar as fraquezas da idade para buscar reforços capazes de concretizar a salvação da humana. Ela ficou imensamente agradecida e ele, lisonjeado por ter recebido o título de herói. Sã e salva, ela tratou de narrar aos quatro ventos a história de quando ficou aprisionada em um compartimento obscuro e Bambi pronta e corajosamente a acudiu, em uma saga épica para um cão de sua idade, comprovando toda a sua bravura. Ele era destemido. Tinha uma valentia descomunal, que mal e mal cabia em seu nanico corpinho com jeito de gigante.

CAPÍTULO 10:

A ideia de jerico

Pouco tempo depois de completar dez anos, Laura deduziu — e não houve quem pudesse persuadi-la do contrário — que Bambi não gostava dela. Àquela altura, ela já havia levado nove mordidas bem sucedidas do cachorro e um bocado de outras tentativas de ataque que tinham potencial para dar certo, mas não deram. O cão não fazia qualquer esforço para esconder suas preferências na matilha, que, em ordem, eram: eu, meu pai, minha mãe e, por fim, a miniatura humana. Disparar na frente de mim e de Fabiano nesse ranking era, realmente, uma façanha improvável, visto que tínhamos anos a mais de troca de vivências e afetos com o peludo do que a menina — já que ela nascera quatro anos após a chegada do pet à casa.

Em contrapartida, era algo inusitado a terceira posição na escala de favoritismos do peludo ser ocupada por Chica. Minha mãe, desde que tivera Laura, decidira deixar de lado qualquer possibilidade de aproximação corporal com Bambi. Ela procurava ficar afastada do bicho, de modo que eles praticamente não precisassem se encostar, ainda que vivessem sob o mesmo teto. O cachorro, porém, não esquecera os bons momentos que os dois viveram juntos e guardou com carinho as lembranças de quando era carregado com cuidado nos braços de minha mãe, debaixo de seu quentinho e confortável casacão azul para dias frios. Logo, ao mesmo tempo em que Chica retirava os pés e pernas para lá quando sentia os pelos de Bambi encostando em sua pele, o focinhudo se levantava e dava alguns passos na mesma direção, a fim de se acomodar melhor junto ao corpo aquecido daquela humana que tantas vezes antes o protegera do inverno.

Laura, por sua vez, tinha um anseio sincero de se reconciliar com o cãozinho. Como já ressaltei, a menina empenhava energia em tentativas frustradas de acariciar o orelhudo. Sonhava em brincar com ele, vendo-o balançar o pitoco rabinho alegremente, e queria poder carregá-lo nos braços de maneira pacífica. Investiu sua mesada na compra de brinquedos caninos a fim de agradar o animal, que cheirava os presentes com desinteresse e deixava-os em um canto, sem demonstrar disposição para correr atrás de bolas ou morder objetos com sons de guizos. Essas falhas e incompreensões na comunicação entre a criança e o cachorro acabaram por afastá-los com o tempo. A pequena realmente gostava de animais e tinha uma vontade genuína de receber o carinho de um peludo de modo mútuo.

Foi assim que surgiu, em forma de músculos, doçura e uma volumosa barriguinha, o maior desastre da vida de Bambi — e também a companhia que o fez ultrapassar a expectativa de vida de um pinscherzinho com patas tortas e disfunção cardíaca. À primeira vista, tudo parecia ser uma verdadeira ideia de jerico. Mas preciso, antes de relatar o caso, contextualizar o ocorrido.

Meg, lá pelos dois ou três anos — para uma cachorra de seu porte, ela teria algo entre vinte e quatro e vinte e oito anos numa contagem humana —, envolveu-se com um cão graúdo e atlético com quem, volta e meia, ela esbarrava, ao ir passear no parcão — um desses parques feitos especialmente para cães, que algumas cidades disponibilizam para contentamento dos bichos e de suas pessoas. Algum tempo de namoro e de flertes entre as brincadeiras resultou em um grupo de filhotinhos tão fofos quanto travessos. Para começar, o parto da cadela não foi dos mais sossegados. Após dar à luz a cinco cachorrinhos, com muita dedicação e vigor, a mamãe de primeira viagem parecia esgotada, mas bem e saudável. Ela amamentou as pequenas criaturas e colocou-as sob a proteção de sua aquecida barriga durante as primeiras horas daquela tarde de meados de julho.

Quando caiu a noite, porém, Meg foi acometida por uma febre ardente e se pôs a chorar de dor e fraqueza. Já na madrugada, Murilo, desesperado por não saber como acudir a cachorra e com bastante medo de que ela não sobrevivesse aos esforços do parto, botou a focinhuda no colo e desceu a escadaria do prédio às pressas, rumo ao veterinário. Ao que indicavam o termômetro e o estado da paciente, a situação não era favorável. O médico apontou para a necessidade de se realizar uma cesariana: dois ou três filhotes estavam presos no ventre da mãe, sem conseguir sair de lá de maneira natural. O cenário era perigoso tanto para eles quanto para ela.

O procedimento cirúrgico era demasiado caro. Murilo sabia que não seria fácil cobrir tais gastos. Mas não teve dúvidas: autorizou a operação. A sobrevivência da cadela era sua prioridade. Depois de um tempo que aparentou ser infindável, o rapaz saiu da clínica com sua companheira canina recuperada e levando para casa mais dois cachorrinhos molengas e ainda debilitados pelas condições que tiveram de enfrentar para vir ao mundo. A dupla, ainda que compusesse uma turma de heptagêmeos com os irmãos, havia nascido em um dia diferente dos demais. Esse dia de atraso prejudicou-os nas primeiras semanas de crescimento. O caçula era sempre o último a conseguir um espaço no peito de Meg para mamar e também era o que mais apanhava dos demais filhotes que, ávidos para brincar, davam patadas com desmesurada violência uns nos outros e mordiam as orelhas dos irmãos sem avaliar a dor que causariam no bicho que sofria as investidas.

Eles eram para lá de arteiros e passavam o dia inteiro tramando formas de aprontar alguma travessura. Murilo, ciente do estrago que o bando poderia provocar se tivessem acesso a todos os ambientes do apartamento, preparou para eles uma área fresca e ventilada, com cobertas, cama, água e comida e pela qual Meg pudesse transitar livremente, mas com uma barreira que impedia os filhotes de saírem dali quando bem entendessem. Em questão de dias, a trupe arquitetou um método de ultrapassar a cerca sem ter de gastar horas em tentativas fracassadas de destruir o obstáculo a bocadas. Eles se empilhavam uns por cima dos outros garantindo que três ou quatro escapassem do bloqueio e pudessem se empenhar em vir correndo simultaneamente na direção da obstrução, por consecutivas vezes, até derrubá-la, libertando a todos.

Foi assim que eles conseguiram, por exemplo, alcançar a fruteira da casa e devorar todos os alimentos cuidadosamente dispostos por Val. Os bichos notaram que, lá no topo da mobília, no último cesto de frutas, havia um amontoado de bolinhas redondas e de cheiro marcante. Organizaram-se em uma escada de cachorros para que o de cima pudesse verificar melhor do que se tratava aquela esfera de essência característica. Ele mordiscou — mesmo que sem dentes — o item e descobriu que a bolota era formada por camadas. Concluiu que a novidade seria diversão na certa e tratou de derrubar todas as unidades para que os irmãos pudessem experimentar a brincadeira. Eles lamberam, despedaçaram e depois devoraram meia dúzia de cebolas de tamanho mediano para grande. Foi, como se pode imaginar, um desastre em forma de dor de barriga e cocôs moles de filhotes.

Murilo envolveu-se, então, na construção de uma barreira mais rebuscada e resistente. Pobre humano ingênuo! Insistia em duvidar da capacidade criativa de sete jovens mentes cuja única meta era encontrar jeitos de fugir dali e aprontar qualquer traquinagem pela casa. Empenhados que eram, conseguiram, por mais de uma vez, escapar dos limites que lhes eram impostos só para fugir até a sala e roer os fios da internet. Eles também reviravam as lixeiras da cozinha, em busca de qualquer resto de comida que lhes agradasse e até se uniram para destruir a caminha de Meg, que ficava em um quarto distante, creio que para estimulá-la a passar mais tempo ao lado deles. Eu me divertia com cada um desses relatos. Fica o alerta, crianças (e adultos!): jamais riam da desgraça alheia. A gente nunca sabe a proporção das desventuras que o dia de amanhã nos reserva. Pode ser que uma adversidade bem corpulenta e estabanada nos aguarde. Enfim, nunca se sabe.

Certa tarde, os cães, mais uma vez, romperam os empecilhos que Murilo criara e, fazendo uma nova pirâmide canina, alcançaram o armário da cozinha. De posse de um pacote de pão integral, aliaram-se para, em conjunto, rasgar com mais agilidade a embalagem e poder chegar logo ao alimento que o plástico resguardava. Em questão de segundos, comeram todas as fatias de pão. Ao se deparar com o acontecimento, o jovem humano que cuidava deles ficou absolutamente perplexo. Quem tem experiência com filhotes sabe que eles têm tendências a soltar os intestinos sem grandes rodeios. Em outros termos, eles, por natureza, evacuam com bastante frequência. Após ingerir tantas quantidades de fibra então, bem, vocês podem imaginar a baderna de excrementos pastosos em diversos tons de marrom.

Superado o episódio do saco de pão, Murilo triplicou os obstáculos, e os cães não tiveram alternativa a não ser se contentarem com o espaço que lhes era destinado, sem mais poderem aprontar novas estripulias na cozinha. Mas isso não haveria de ser problema para a criatividade dos pequenos — e o humano já deveria ter calculado as altas chances de novos danos ao patrimônio doméstico. Os bichos perceberam que podiam acessar o banheiro dos fundos da casa e notaram que o sanitário continha um curioso tubo sanfonado que o conectava à parede. Eles tiveram, rapidamente, a ideia de mordiscar o material e ficaram ainda mais animados com a atividade, ao se darem conta de que dali brotava uma água fresca. Organizavam-se em fila para, em sequência, atracarem-se de boca no exercício de detonar o cano. À medida que um cansava, dava espaço para o próximo. Ao constatar a nova invenção dos filhotes, Murilo tentou isolar a área. Não conseguiu: eles sempre davam jeitos de invadir de novo o local. O humano, então, teve a ideia de passar, na parte externa do tubo, algo que, para os cachorros, não seria apetitoso. Abriu o armário e avaliou com cautela o que poderia usar. Localizou, no fundo da prateleira, um pote de pimenta e considerou que seria a solução ideal: os animais não tentariam morder algo com cheiro forte e que provocasse ardência. Mais uma vez, o rapaz subestimou o vigor dos pets. Enfileirados, um a um, eles mordiam o cano, sentiam o sabor e o ardor apimentado, corriam para beber um monte de água e, sem se importar com a vermelhidão dos focinhos, dirigiam-se novamente para a fila, na expectativa de repetir o ritual.

    O grupo era dedicado a fazer traquinices. Havia apenas um deles que — embora também fosse aplicado nas diabruras — era menos desenvolto. Era o caçula do bando e, como nascera depois dos demais e costumava ter menos sucesso na obtenção de comida e atenção da mãe, o cãozinho era mais lento que os irmãos e gostava de colo e carinho humanos como nenhum outro. Nessa época, eu buscava Laura na escola todo fim de tarde e a levava para minha casa, onde ela fazia o dever, jantava e esperava que meu pai fosse apanhá-la após o expediente — já que ele estava com um horário de trabalho um pouco prolongado. Assim que soube do nascimento dos filhotes, minha irmã quis conhecer as criaturas. Ela era, como já destaquei, uma notável adoradora de animais.

Já disse que a menina sonhava em ter um cachorro, certo? Pois bem, quando ela conheceu o filhote mais novo, ele logo foi com a cara dela, e ela foi com o focinho dele. De tão encantada com os abraços e lambidas do bicho — que ela tanto sonhara em receber de Bambi e nunca conseguira —, a criança esqueceu-se de calcular que, rapidinho, o pequeno cresceria e eles ficariam quase do mesmo tamanho (e peso). Para ser sincera, eles eram muito parecidos. Eram bons até mesmo em fazer bagunça juntos! Só tinha uma diferença: o cão fazia estragos um pouco maiores... Mas chegaremos lá.

Ao segurar nos braços aquele peludo tão rechonchudo e afetuoso, Laura passou a insistir, diariamente, em visitar os cachorrinhos, a fim de poder encontrar outra vez com o seu pet favorito. Ela até deu um nome para ele, inspirando-se na marca triangular que ele continha na nuca e na parte superior do pescoço: Caubói. Quando questionada sobre o motivo da alcunha, a criança explicava que era porque o cão parecia carregar no pelo preto um lenço branco, feito aqueles de caubóis em filme de faroeste. Murilo, ao reparar na ligação que a menina e o filhote haviam desenvolvido, considerou que seria uma boa ideia oferecer que ela levasse o cão para casa. Ele sabia o quanto a garota queria ter um cachorro próprio.

Teve início uma série de diálogos infrutíferos sobre a possibilidade de abrigarmos em um apartamento um cão que ficaria ainda maior do que Meg:

— Por favor, por favor, por favorzinho! — suplicava a menina.

— Laura, ele vai ficar maior que você. Como você vai levar um bicho maior que você para passear? — eu, inicialmente, retrucava.

Minha mãe, veementemente, vetou qualquer chance de levar um novo cão para casa. Para ela, Bambi já extrapolava o peso e a altura do que cabia debaixo de seu teto. Que dirá um cachorro que, quando adulto, poderia passar dos trinta quilos. E ainda com cara de pit bull. Com Chica, não havia argumento capaz de viabilizar os planos de Laura. Fabiano também não achou prudente. Ao conhecer Caubói, ele conjecturou rapidamente o tamanho dos cocôs, dos xixis e dos estragos e somente pontuou:

— Este bicho vai ficar enorme.

Rodrigo era ainda mais convicto na negativa. Ele sabia que a criança não teria condições de passear com o futuramente grande peludo e que, eventualmente, a tarefa recairia sobre ele. Afora os danos e avarias, morais e psicológicos, que ter um cão daquele porte em um restrito apartamento poderiam causar. Com serenidade, ele dizia "não" aos consecutivos apelos de Laura e repreendia Murilo por ter tido a ideia de jerico de oferecer um filhote à garotinha.

Para mim, contudo, depois de alguns dias de reflexão, as alegações de Laura começaram a parecer razoáveis. Resgatei na memória a conversa que, pouco tempo antes, eu tivera com uma colega de trabalho. Depois que relatei as dificuldades que estava enfrentando para adaptar Bambi ao meu novo lar, ela sugeriu que eu considerasse adotar outro cachorro. Pasma, respondi que a proposta era insana. Um único peludo já dava trabalho mais que suficiente. Esqueci a recomendação por completo, até aquele momento em que minha irmãzinha trazia à tona, de novo, a possibilidade. Considerei que, talvez, acolher Caubói não fosse de todo mau. Afinal, eu já tinha um cachorro e seria excelente que Bambi arrumasse companhia para se distrair durante as horas em que eu ficava distante. Para quem já havia cuidado de um pinscherzinho feroz por mais de década, quão difícil seria abrigar outro focinhudo?

Bom, me faltou imaginação para prever as dificuldades que viriam.

Aliás, mesmo que eu fantasiasse mentalmente os mais impensáveis desastres, acho que não iria tão longe quanto a realidade foi capaz. Mas é inegável que a ideia de jerico trouxe um bocado de diversão para a matilha — e uma desmesurada irritação para o Bambino; só que, a essas alturas, a ira do pequeno já não era mais novidade, não é mesmo?

CAPÍTULO 11:

A improvável dupla de opostos

O aparecimento de Caubói me rendeu lágrimas de desespero já no primeiro quarto de hora em que ele e Bambi estiveram juntos no mesmo ambiente. Com a ajuda de Rodrigo — que permanecia contrariado com a adoção de um novo peludo —, preparei tudo detalhadamente. Fomos a uma loja de pets com uma longa lista em mãos. Compramos uma cama em que os dois cães pudessem deitar — para evitar brigas. Providenciamos potes de comida e de água suficientemente pesados, a fim de impossibilitar que o filhote saísse derrubando ração pela casa de modo a irritar o ancião da residência. Eram comedouros de concreto. Sim, a expectativa era de que o cãozinho, então com um par de meses, atingisse, sem demora, uma força colossal.

Cobertas, brinquedos diversos, petiscos, tapetes higiênicos, coleira, peitoral. Tudo foi devidamente adquirido para garantir ao novo membro da matilha maior conforto e comodidade. Assim, talvez, ele fosse mais rapidamente com o focinho de Bambi — com sorte, de maneira correspondida. Senti, porém, um estranhamento quando Rodrigo

O cão que não cabia em si

começou a recolher os livros e enfeites das estantes e, na sequência, se pôs a encaixotar meus sapatos — que ficavam expostos em três prateleiras ao lado do guarda-roupa. Questionei por que ele estava se dedicando tão arduamente àquela tarefa. Ele respondeu, como se fosse óbvio, que era para dificultar eventuais tentativas do filhote de furtar algum de meus pertences e destruí-los a dentadas.

Eu ri com descrença e pontuei que já havia tido um cão filhote em casa anteriormente. Reforcei que Bambi costumava surrupiar, vez ou outra, um rolo de papel higiênico somente. Em raras ocasiões, ele comeu cantos de livros e cadernos. Tentei acalmar meu namorado e enfatizei que não tinha por que se afligir dessa forma. Ele ergueu os olhos, deslocando sua atenção das caixas de sapatos, e me fitou com alguma dose de compadecimento. Então, acrescentou:

— Meu amor, não é um filhote de pinscher. É um american staffordshire. O Bambi só destruía papéis porque era isso que seu potencial de mordida permitia. Você já viu a boca da Meg? A do Caubói vai ser maior.

Eu dei de ombros, sem acreditar no que estava por vir.

Naquela noite em que busquei Bambi na casa de meus pais, determinada a levá-lo, de vez, para morar comigo, pedi a Rodrigo que trouxesse Caubói para seu novo lar. Bambino tinha de conhecer seu irmão canino. Os primeiros minutos de convívio foram uma verdadeira tragédia. O pequeno me mirava com profunda raiva e incredulidade. Parecia dizer, com seus grandes olhos arredondados: "Não é possível, você está trazendo mais um cachorro para a matilha? Não basta aquela mini-humana de pelos concentrados na cabeça?". Já o grande, que, na época, ainda era só quatro ou cinco vezes maior que Bambi, observava o espaço com uma feição que indicava bastante apreensão e medo.

Tentamos aproximar os dois devagar. Eu, que estava sentada no sofá com Bambi, pedi que Rodrigo viesse com cuidado em nossa direção, trazendo Caubói consigo. Bambino, evidentemente, mostrava-se impaciente e virava o focinho para sublinhar que não estava nada interessado naquela comunicação. No que Caubói avançou com o corpo no sentido das orelhas de Bambi, o último virou-se abruptamente e tentou morder o companheiro. O filhote, apavorado, rosnou em resposta e encolheu-se no colo do humano. Eu, frente à cena, me pus a chorar compulsivamente.

— Vai dar tudo errado! — exclamei, inconsolável.

Eu temia pela vida de Bambi — inocente que era, não supus que deveria ter me preocupado com a integridade de Caubói. Aquela amizade forçada entre os cães era minha esperança mais palpável de ter o pinscherzinho vivendo ao meu lado. Precisávamos fazer dar certo. Por isso, respirei fundo e, mais uma vez, com o apoio de Rodrigo, me recompus. Limpei as lágrimas com o dorso da mão e deixei que os bichos se conhecessem e se cheirassem em seu próprio ritmo. O meu idoso peludo deu passos tão minúsculos quanto suas patas podiam permitir para melhorar a relação com o novo irmão. Apesar da ansiedade, aguardei que as coisas fossem tomando seu rumo.

Rodrigo tratou de ensinar a Caubói que ele não podia, de forma alguma, responder aos rosnados e ataques de Bambi. Diariamente, o humano dava pedaços de carne ao filhote e, na sequência, retirava a comida da boca do animal, com o intuito de garantir que ele não se incomodasse com tentativas de roubo de alimentos ou afins.

Caubói aprendeu a esperar, pacientemente, que Bambi comesse primeiro para, só depois, dirigir-se aos potes de ração e água. Ele ficava deitado, a certa distância, com cara de cachorro pidão, observando o outro ingerir com deleite toda a refeição disponível. Sério. Bambi dava um jeito de devorar absolutamente cada grão de ração do recipiente. Às vezes, ele sentia a fadiga de seus excessos. Mas, para não dar a pata a torcer, posicionava-se melhor diante da vasilha, esticava bem braços e pernas e fazia um movimento engraçado com a barriguinha como se quisesse acomodar melhor a comida internamente. Em seguida, comia ainda mais.

A verdade é que a gente vê muitos irmãos caninos por aí. Mas, geralmente, os bichinhos são meio parecidos — ou mesmo iguais — em tamanho, cor, raça ou idade. Bambi e Caubói não. Eles eram a dupla do contra. Um bem minúsculo, magrelo, feroz e maduro. O outro grande, gordinho (alguns chamariam de forte), bobão e jovial. Muita gente via o dueto e achava graça. Uns enxergavam o Bambi e, de imediato, sorriam. Outros se deparavam com o Caubói e, na hora, se assustavam. Afinal, é mesmo verdade que as aparências enganam. Apesar de tão diferentes, parecia que eles se completavam. É que eles eram a diversidade. Viviam a diversidade cotidianamente. Eles me ensinaram a valorizar o diferente.

Mas, como em qualquer convivência, não foi fácil.

Até o Caubói aparecer, eu não sabia muito bem o que era ter um cachorrão em casa. Eu me arrependi amargamente de ter achado graça quando, um dia antes da chegada do bicho, Rodrigo sugeriu: "Vamos guardar todos os seus sapatos expostos na estante". Eram cerca de trinta pares. Não me atentei ao fato de que cachorros grandes fazem estragos proporcionais ao seu tamanho. O filhote comeu minhas sapatilhas e saltos um por um. Comeu também os calçados das eventuais visitas. Gabi, minha prima, foi dormir lá em casa certa noite. Ela deixou suas sandálias no canto da sala, meio escondidas, pois desconfiou que o cãozão pudesse se interessar pelo acessório. Sua suposição foi certeira. Na manhã seguinte, destroços do utensílio cobriam inteiramente o chão, e ela ficou sem ter o que colocar nos pés para ir trabalhar.

No dia em que o enorme peludo devorou o mais recente livro de minha coleção do Harry Potter, bem, para sua sorte, quem surgiu primeiro em casa foi Rodrigo. Ele correu na livraria e pediu para a atendente um exemplar idêntico, depois tratou de amassar de leve a pontinha da contracapa, para aumentar ainda mais as semelhanças com a amostra anterior. "Se minha namorada chegar em casa e não encontrar o livro, o cachorro vai ter sérios problemas", explicou ele, diante de uma vendedora que se divertia com a inusitada situação. Mal sabia ela quantos livros, sapatos e móveis o cão era capaz de destruir.

Para preservar a existência de Caubói, só alguns meses depois, quando o grandalhão rasgou mais uma de minhas obras queridas e eu, já acostumada, não tive um ataque de nervos, Rodrigo tomou coragem para me contar sobre o ocorrido de outrora. Até estacionarmos neste ponto em que eu conseguia manter a calma frente a um novo estrago, percorremos um longo caminho de prejuízos materiais (os quais eu nunca me atrevi a contabilizar) e emocionais (chorei de raiva e desespero incontáveis vezes). Criar um filhote de amstaff — sigla para american staffordshire terrier — em um apartamento de poucos metros quadrados pode não ser uma ideia das mais brilhantes.

    Fazíamos esforços sobrenaturais para passear com os cães entre quatro e seis vezes por dia. No passeio das seis da manhã, Bambi rosnava e resmungava com preguiça de levantar e Caubói tinha dificuldade de abrir os olhos e se colocar em pé. Era cômico. Eles não eram lá muito matinais. Comprávamos petiscos e brinquedos dos mais diversos formatos. Porém, nenhuma medida parecia suficiente para conter a ânsia do grande orelhudo por demolir a casa. Houve um episódio em que ele engoliu — e, ao que tudo indica, digeriu — um carregador de celular. Sim, é verdade. Restou apenas a pequena e mordida ponta do cabo. A travessa cria de Meg também se dedicou a fazer buracos no forro do sofá, demonstrando sua insatisfação por não mais conseguir esconder-se, com o passar das semanas e conforme seu corpo ia ganhando novas proporções, entre o móvel e a parede, sem deslocar a mobília de lugar.

    Não há, contudo, infortúnio que não possa piorar, não é mesmo?

    Em um sereno fim de tarde, retornei do trabalho de dedos cruzados, esperançosa para entrar em casa e não encontrar rastros de destruição. Essa ilusão irreal me acometia vez ou outra. Mas era um desejo irrealizável. Abrir a porta tornou-se motivo de ansiedade e pavor. Naquela ocasião, passei pela sala e averiguei a cozinha, cheia de expectativas de que tudo estaria intacto. Fui até o banheiro e não encontrei meus pertences devastados. Não havia marcas de sujeira no chão nem caixas ou tecidos rasgados perto das quinas. Será que estava tudo bem? Vocês sabem a resposta: "Não mesmo". Quando olhei para a cama, percebi um extenso e circular buraco que aparecera no canto direito do leito. O cachorro abrira no colchão uma superfície em que cabia a sua própria cabeça. E, para quem nunca viu a cabeça de um amstaff, bom, posso destacar que elas são deveras avantajadas.

Tem mais. O filhote, como geralmente ocorre com um ser em fase de crescimento, simplesmente adorava comer — comida mesmo, não só objetos. Podia ser ração (especialmente a do Bambi), petisco, qualquer restinho roubado da lixeira ou, se os humanos dessem bobeira, um bolo ou umas azeitonas furtadas de cima da mesa. Um dia, pasmem, abri um pote grande de margarina e esqueci na bancada da cozinha. Fui trabalhar e, quando voltei, a embalagem estava jogada no chão, num canto da sala, completamente vazia e brilhando de tão reluzente. Revirei a geladeira procurando o tal recipiente "desaparecido". "Não é possível que esse cachorro tenha comido quinhentos gramas de margarina e nem sequer passou mal", pensei com meus botões. E o cão? Bom, realmente, ele não sentiu nem cócegas. Mesmo de barriguinha cheia, encontrou espaço para devorar qualquer outro item desatentamente esquecido na cozinha.

Não acabou.

É comprovado que pets não podem comer doces industrializados. Porém, certa vez, durante um passeio, Caubói deu de focinho com uma pequena bala já mastigada, que um distraído qualquer deixou cair na calçada. Discretamente — para não ser descoberto pelos humanos ou até por Bambi que, sem dúvidas, o entregaria — ele abocanhou a guloseima. Para o grandão, acho que o confeito tinha um cheiro delicioso de açúcar com morango. Ao chegar em casa, ele ficou imensamente surpreso ao observar que lá no alto da estante da sala havia um pote cheio das mais variadas balinhas. Elas tinham uma infinidade de cores e formas. Cheiravam às mais diferentes frutas.

    O peludão não pôde resistir. Esperou que eu fosse trabalhar e, rapidamente, deu dois ou três saltos para alcançar o recipiente de gomas. Com pressa, para não ter que dividir um só pedaço com seu irmão, comeu até se empanturrar. Eis que, algum tempo depois, sentiu o movimento ágil das balas fazendo o caminho de volta dentro de si. Ele expeliu tudo pela boca em um difuso jato colorido. Parecia um arco-íris. Sujou a casa, a cama dos humanos e todas as cobertas — não deixando sequer um edredom para a gente se cobrir na noite fria que viria. Depois disso, ele jamais encontrou uma bala novamente na vida. Mas bem que gostaria.

    Objetos com sabores metálicos temperados com essência de plástico também eram um prato apetitoso para Caubói. Creio que foi em decorrência deste diferenciado paladar que ele enxergou, em meus óculos, uma potencial experiência gastronômica. Em uma madrugada silenciosa, o cachorro tratou de ingerir a armação e de mastigar as lentes do utensílio. Fez um estrago tão grande na peça que se tornou inviável reutilizá-la. Tive de sair rua afora, com minha visão embaçada, pois fora vítima de mais uma traquinice do cãozão. Cheguei ao meu local de trabalho, na manhã seguinte, contando para meu chefe o estranho relato de que estava desenvolvendo as atividades mais devagar porque estava sem óculos. "O que aconteceu?", ele quis saber mais sobre o ocorrido. Constrangida, respondi: "Meu cachorro comeu".

Todavia, nem só de dar prejuízos vivem os grandes cães. Devo admitir: eles também sabem ser amáveis, carinhosos e companheiros extremamente fiéis. Após um — longo! — período, eles deixam de se alimentar de objetos da casa. E sua atividade preferida, além de comer, torna-se ficar perto dos humanos. O mais pertinho possível. Como na porta do boxe do chuveiro — esta Caubói aprendeu direitinho seguindo as instruções de Bambino —, no pé da cama e no meio da cozinha, para ninguém poder abrir a geladeira ou usar o fogão. Ao menos o meu peludão é assim. Quer amar e ser amado sem limites.

Durante esse passado não tão distante em que Caubói era um cão faminto, Bambi sentia-se, mais e mais, obrigado a se empenhar fortemente em comer toda a ração disponível para mostrar quem era o chefe da matilha. Engordou gramas e mais gramas, até ultrapassou os dois quilos. O pequeno também notou que o grandão era bastante destrutivo e queria devorar a casa em uma só bocada — o que, afinal, seria tarefa rápida, tendo em vista o tamanho de sua boca que só crescia dia após dia. Esse contexto fez o miúdo sentir-se nostálgico, com saudade de quando ele próprio desmanchava folhas de todos os gêneros. Decidiu, então, unir-se ao irmão nas traquinagens. Mais que isso: resolveu dar as coordenadas dos danos.

Juntos, eles desenrolaram inúmeros rolos de papel higiênico e picotaram os papéis em pedacinhos pequenos o bastante para que Bambi pudesse se deliciar mastigando.

Fizeram bagunças descomunais, rasgando camas e almofadas. Caubói passou a desmontar sapatilhas em pedaços menores para que o pinscher conseguisse se divertir, saboreando um pouco de sapato. Mas, quando eu aparecia e via tantas avarias, o peludinho fingia que não tinha coordenado a destruição e, ao meu lado, brigava com seu novo irmão. Assim que eu virava as costas, contudo, ele mastigava mais um pouco daquela desordem. Visivelmente, para ele, era uma delícia. Não só organizar as travessuras, como, especialmente, ver o cabeçudo levando broncas. Bambi não me permitia, entretanto, ir além de algumas contundentes advertências ao seu irmão. Se eu tentasse deixar Caubói de castigo, o pequeno latia e me olhava com cara feia até eu soltar o grandalhão, liberando-o para a próxima reinação.

Houve também a fase dos desafios. Quando Caubói, aquele bicho que Bambi considerava tão espaçoso e incomodativo, iniciou esta jornada de tentar petiscar a casa inteira e não sabíamos como fazê-lo parar de comer os móveis e utensílios, alguém — acho que a internet — nos sugeriu o tal do desafio. Tínhamos de colocar a ração do turno em uma garrafa vazia e entregar a refeição embrulhada em uma pequena dose de emoção e aventura. Ele adorou. Bambi, no entanto, considerou aquilo um enorme desaforo. Por que a diversão ficaria toda só para o enorme gorducho? Irritado, o pequeno fez uma contundente exigência em forma de latidos finos e estridentes: queria que eu preparasse para ele algo parecido. Entendi o recado e providenciei uma garrafa só para o cãozinho. Acontece que o desafio não funciona muito bem quando o objeto é do mesmo tamanho ou maior que o bicho que tenta abri-lo. Por isso, o jeito foi procurar itens proporcionais ao seu singelo peso, como os menores potes de iogurte do mercado ou minúsculas garrafinhas de leite fermentado. Bambi amou ser desafiado. A brincadeira era, para ele, boa pra cachorro!

As estações transcorreram de forma atribulada. Foi só com a chegada do inverno que Bambi tomou uma importante decisão: seria necessário superar as diferenças e se aproximar de Caubói em definitivo. Não pelo fato de eles terem que viver debaixo do mesmo teto e dividir humanos e ração. Nem mesmo como maneira de agradecer ao novo cão por proporcionar ao minúsculo e eficiente guarda da casa uma aposentadoria mais tranquila, sem preocupações com os barulhos no corredor. A verdade é que Bambi, acometido por todo o tremor de frio e irritação que seu corpo podia suportar, olhava para aquela estranha criatura canina que aparecera repentinamente em sua matilha e pensava: como resistir a uma barriguinha tão quente e rosada nas noites de frio? As baixas temperaturas selaram, irreversivelmente, a história de implicâncias e camaradagem da dupla.

CAPÍTULO 12:

A dupla desproporcionalmente imbatível

Um estranho sonho tornou-se bastante frequente em minhas noites de descanso. Às vezes, as alucinações oníricas me faziam imaginar que eu estava a perambular alegremente por caminhos esplêndidos de flores e pássaros. Outras vezes, eu aparecia em casa mesmo, mas contente com o azul do céu e com o agradável barulho dos grilos. Também havia os sonhos em que eu estava no trabalho ou na universidade, desenvolvendo minhas atividades profissionais e de estudos. Tudo sempre transcorria com serenidade. Até que o fator em comum entre todos estes enredos construídos pelo meu inconsciente vinha à tona, trazendo seu odor característico. Eu começava a sentir, fosse no cenário da floresta, de casa ou do escritório, um intenso cheiro de cocô. O aroma era forte de tal forma que eu acordava, percebia que o pesadelo era real e simplesmente não conseguia pegar no sono de novo até levantar e limpar a sujeira deixada por Caubói em algum canto do apartamento.

Filhotes — aparentemente não só os humanos, mas os caninos também — precisam defecar inúmeras vezes ao dia. Não tenho filhos. Mas eu e Rodrigo apelidamos a experiência com os cães de estágio pré-humanos. Ainda nem prevíamos que a labuta se tornaria bem mais complexa logo adiante. Nesse período, porém, nos revezávamos para ver quem levantaria no meio da noite para recolher as fezes do cachorrão e também precisávamos ajustar horários de expediente a fim de garantir que os bichos fizessem todos os seus muitos passeios ao longo do dia. Afinal, eu morava em uma quitinete com um pinscher idoso e barulhento e com um amstaff filhote e agitado. No quesito maneiras diversas de dar trabalho, eles se complementavam inteiramente. Tínhamos de ter cuidados bem diferentes com um e com outro e, no fim, era uma trabalheira generalizada.

Para evitar que eu e também que Rodrigo — que nem queria ter um cachorro para chamar de seu, quanto mais dois — ficássemos sobrecarregados, resolvi contratar uma passeadora de cães para dividir conosco a tarefa de levar os bichos para espairecer. A moça, embora já conhecesse os peludos, chegou lá em casa com receio de Caubói. Porém, ao mostrar a guia, percebeu que não havia o que temer. O grandão sacudia o rabinho e mostrava-se animado para ir para a rua ao lado dela. Em contrapartida, Bambi já estava em uma fase em que só fazia o que queria, quando e como bem entendesse. Sim, é verdade que ele sempre fora meio assim. Mas, naquela altura, tornara-se um resmungão por completo e sentia-se, mais do que nunca, cheio de autoridade para morder dedos humanos. Afinal, tínhamos de respeitar um senhor com mais de setenta anos no quadro de idade de um pequeno cão.

Por causa dessa postura rabugenta e pouco receptiva do orelhudinho, a passeadora não conseguia se aproximar dele para levá-lo para as caminhadas. Ele mostrava os dentes, revelava sua fúria, e ela, assustada, preferia deixá-lo para lá e carregar só Caubói para a jornada. Pois é, meus peludos eram a prova de que as aparências falseiam a realidade. A verdadeira fera não era o cão com cara de pitbull, mas sim o quase-suricate com focinho de indefeso. Decidimos, então, buscar uma alternativa para contornar a braveza do miúdo. Uma nova profissional encarregou-se da tarefa. Ela usava uma almofada para enganar Bambi, ele mordia o objeto e ela, com agilidade, colocava-o dentro da bolsa de passeio e o levava escada abaixo para ver a rua. O ancião ficava um tanto quanto irritado, mas tinha de se conformar com o passatempo que lhe era imposto.

Só havia um probleminha: Caubói estava crescendo mais rápido do que nossas expectativas. E a jovem que contratamos para o serviço não era provida de tanta altura ou robustez. Ela era bem pequenina e, em pouco tempo, o cãozão adquiriu uma grandeza física que excedia as competências da moça para conduzi-lo por aí. Tivemos de buscar, então, vias alternativas para a questão. Houve uma ocasião em que, inadiavelmente, precisávamos viajar e não havia quem pudesse ficar com os cães. Bambi já estava velhinho e não podíamos deixá-lo em um hotel para cachorros. Nas duas únicas vezes em que tentáramos fazer isso, anos antes, ele aderiu a uma greve de fome e voltou da hospedagem ainda mais magro do que já era, assumindo, na segunda e última ocorrência, uma aparência severa de abatimento e tristeza. Também não seria possível deixá-lo na companhia de outros bichos, pois experiências anteriores mostraram que ele não hesitaria em se meter em brigas e confusão e sabíamos que ele não tinha mais idade para isso. Ademais, Danielle não estava disponível naquelas datas.

Desse modo, convoquei reforços, pedindo que uma amiga passasse uns dias em meu apartamento, cuidando dos peludos. Ela e a namorada aceitaram com gosto a proposta, uma vez que são veneradoras de animais e tinham um carinho muito especial pelos meus bichinhos. As duas dirigiram-se de mala e cuia — na verdade malas, muitas malas — para a minha residência. Parecia que estavam de mudança. Levaram até travesseiros, cobertas e almofadas. Não deram a devida atenção aos meus desesperados relatos sobre o potencial destruidor de Caubói e o gosto de Bambi por liderar a balbúrdia. Em uma tarde, elas saíram para trabalhar, deixando os orelhudos no controle da casa. A dinâmica dupla de irmãos caninos não perdeu tempo. Puseram-se a morder e destroçar uma colorida almofada de pescoço que as visitas haviam depositado sobre a cama.

    A algazarra provocou mais desordem do que os bichos inicialmente previam. A peça era preenchida por um amontoado de microbolinhas de isopor. A partir do momento em que a costura começou a ceder, o aglomerado de poliestireno rígido espalhou-se por todos os cômodos, encobrindo o imóvel feito uma nevasca siberiana. Creio que tal situação ocasionou ainda mais diversão para os cães, fazendo com que eles tratassem de esparramar sujeira pelos cômodos com afinco. Foi o mais legítimo caos. Para completar, Bambi enfiou o focinho no rasgo da almofada e, ao tirar a cabeça de lá, ficou com duas ou três bolinhas de isopor presas no nariz. As humanas, ao retornarem para o apartamento, estremeceram. Como elas iam remover o material das narinas do pinscher? Certamente, ele as atacaria. Mas, se elas não agissem depressa, ele podia inalar as minúsculas esferas e teria algum problema respiratório. Uma delas tomou coragem e iniciou um delicado procedimento de remoção dos itens, abaixo de ferrenhos protestos do cão. Deu tudo certo. Bambi saiu intacto de mais uma peripécia.

Em outra circunstância, a dupla canina foi passar o fim de semana na casa de meus pais. Por lá, eles costumavam ir brincar no parcão. Nessa ocasião específica, quando Caubói ainda era filhote — e, portanto, não tinha atingido seus trinta quilos de força e doçura, mas quase —, ele tentou fazer amizades com os cães daquela vizinhança. Muitas vezes, a empreitada dava certo e ele saía de lá com várias amigas e amigos caninos. Só que, naquela tarde de férias e de praça cheia, os cachorros estavam alvoroçados. Alguns resolveram brincar de pega e, como o grandão era novo na turma, determinaram que ele seria o alvo perfeito. O pego da vez. Bambi apenas ria da juventude e tomava seu sol vespertino em um canto afastado, enquanto seu irmão corria, corria, corria. Era uma fuga alucinada. Lá pelas tantas, alguém abriu o portão e Caubói viu nesse movimento uma oportunidade: a chance de escapar dos empurrões e mordiscadas do grupo.

Ele encolheu a barriguinha e passou com agilidade pela fresta da porta. Correu ainda mais por entre bancos e gramados da praça. Até que passou a ouvir uma gritaria. Ele se aproximava e os humanos andavam em disparada.

Tinham medo dele. Isso o assustou. O focinhudo ficou, igualmente, com medo das pessoas, seres tão enormes e compridos. Ele tentou correr para o lado contrário. Mais gritos. Havia gritos de meu pai e Laura também, que estavam responsáveis pelo bicho naquele dia. Eles pediam que, por favor, alguém segurasse o cachorro, que não o deixassem ir para a rua. Acredito que Caubói se sentiu perdido com tanto barulho e resolveu se esconder debaixo de um banco. Então, uma moça simpática foi até ele, se abaixou para espiá-lo e lhe ofereceu carinho. Ele ficou feliz e deixou que ela o pegasse. Ela, com cuidado, devolveu-o para a matilha. Após o ocorrido, o grandalhão passou a ficar somente entre as cercas do parcão.

O preconceito com Caubói e com seu focinho de cão estigmatizado como "do mal" era recorrente. Não raro, quando ele estava passeando, as pessoas olhavam-no torto. Diziam que ele tinha cara de maléfico e perverso. Resmungavam qualquer coisa sobre o seu tamanho ou até mudavam de calçada para se afastar dele. Eu me sentia triste e contrariada. Tentava explicar ao cãozão que tem muita gente boba no mundo e que o medo do diferente faz com que alguns se expressem com intolerância e raiva. Ele, contudo, não parecia se importar tanto com essas situações. Andava sempre muito ocupado em procurar carinhos por aí e em retribuir afagos com lambidas. Mas eu tinha medo do que poderiam fazer com ele na rua só por causa dessa tal cara de bravo.

Por isso, no fim de tarde em que cheguei em casa e vi Caubói com uma mancha vermelha na cabeça, fiquei de pernas bambas e olhar assustado. De imediato, pensei: "Pronto, chutaram o Caubói na rua". Exclamei alguns lamentos e disparei na direção do cachorro, já prestes a segurá-lo no colo e correr para a veterinária. Até que a passeadora me acalmou e esclareceu o que ocorrera. Era só a marca de batom do beijo que o peludão ganhara da vizinha. Refleti por instantes sobre o temor que eu tinha de o bicho ser agredido por desconhecidos apoiados em argumentos preconcebidos de discriminação. Depois respirei aliviada pela sensação de que, neste velho mundo cansado, o amor ainda consegue sair vitorioso. Sim, porque Caubói era basicamente músculos, um pouco de gordurinhas, pelos e muito amor.

Bambi também tinha de encarar sua dose de prejulgamentos equivocados. Não raro, devido ao seu peculiar jeito de andar — que, com a velhice, foi se tornando encurvado —, tinha de ouvir desaforos de pessoas que o consideravam demasiado debilitado, enquanto ele próprio se achava jovial e ativo e em plena forma para seguir bronqueando Caubói, afanando suas refeições e expulsando-o para longe dos humanos. As patinhas tortas eram mera formosura que ele adquirira com o avançar da vida. Houve um episódio, porém, que foi até divertido. O pequenino estava nu — atipicamente sem roupas e, como de praxe, sem amarras —, no gramado ao lado de casa.

Até que uma senhora passou e, de maneira encucada, perguntou para a amiga: "Que bichinho é este?". Ela o olhava com uma feição curiosa, vê se pode, como se tivesse acabado de descobrir uma nova espécie de rato. Logo ele, tão esguio, tão esbelto, confundido com qualquer roedor. Depois de ponderar a pergunta por longos segundos, a outra senhora respondeu: "Acho que é um cachorrinho!". Eu, que assistia à cena a certa distância, apenas ri. Bambi, desde sempre, parecia uma mistura de vários outros animais, desde cachorro a gato, passando por rato, morcego e suricate. Era preciso abarcar várias espécies para traduzir sua presença e originalidade. Ele era mesmo um cão único.

Por exemplo, Bambi sempre sentou de um jeito singular (e muito pouco canino). Talvez inspirado no sentar humano. Ou quem sabe em uma tentativa desajustada de acomodar melhor as patas traseiras, que já nasceram grandes demais. Não está claro o que ocasionou esse hábito meio torto no pequeno cão. Mas o que ficou evidente foi que Caubói, sem demora, aprendeu a imitar a pose de seu companheiro de bagunças e destruições. Eles sentavam dispondo as patas de trás o mais para a frente possível e, ao mesmo tempo, deixavam o corpo meio inclinado, como se estivessem acomodados em uma cadeira de gente, prontos para interagir com as pessoas, de modo que ninguém fosse desconfiar de seus trejeitos de cães.

Caubói assumiu Bambi como seu mestre e se dispôs a aprender com o irmão mais velho os mais variados hábitos de cachorro. Perto do primeiro Natal em que o grandão esteve conosco, encontrei, em uma loja para pets, miniaturas de panetones feitas exclusivamente para animais, preparadas com petiscos e rações caninas e sem chocolates ou uvas passas nos ingredientes. Decidi presentear os peludos com a guloseima. Abri os pacotes e retirei de dentro os bolinhos, que deviam caber, com pouca sobra de espaço, na palma de uma mão humana média. Depositei um dos quitutes diante de Bambi e o outro na frente de Caubói. O pequeno, instantaneamente, lançou-se na árdua atividade de despedaçar o diminuto bolo em vários pedacinhos menores, a fim de poder ingerir o quanto antes porções que coubessem em sua boca.

Caubói, por sua vez, virou a cabeça para a direita assinalando dúvida. Desceu o focinho até encostar a ponta da língua no alimento e, de canto de olho, começou a espiar o que Bambi fazia para, só então, mordiscar o bolo e desfazê-lo em fragmentos miúdos. Ele não tinha a menor ideia de que, com uma única bocada, conseguiria devorar o petisco inteiro, sem grandes esforços. Ele acreditava que, para desenvolver atributos caninos, deveria seguir os passos do pinscherzinho. À medida que o peludão foi crescendo, o pequenino também notou que era possível retirar bons aprendizados do convívio com o irmão mais novo. Bambino descobriu, aos catorze anos, as delícias de rolar na terra e na grama e o quão fascinante era roer um galho até desmanchá-lo.

Implicâncias à parte, os cães foram criando laços fraternais, devido à convivência. Caubói, regularmente, apanhava e sofria ataques de cachorros na rua. Ele era, com frequência, o mais novo das turmas caninas e era feito de bobinho ou de pego nas brincadeiras, tal qual acontecera na ocorrência do parcão. O bicho levava dentadas e arranhões aqui e ali, mas não se estressava nem revidava. Havia um cão rabugento — não tanto quanto Bambi, claro — que avistava o amstaff na calçada e, do outro lado da rua, já se punha a latir. Caubói não se abalava e seguia comendo galhos ou repuxando cascas de árvores. Até o dia em que esse pet cogitou que poderia fazer o mesmo com Bambi.

O cão-vizinho rosnou para o pequeno e fez movimentos indo para a frente e para trás, como se estivesse prestes a atacar o pinscher. Caubói, pela primeira vez, não aceitou o insulto com tranquilidade. Ele não se importava com os desaforos que lhe destinavam. Mas com Bambi ninguém podia mexer. Rodrigo, que estava passeando com os bichos na ocasião, não conseguiu segurar a guia do grandalhão, que escapou com velocidade rumo ao insolente barbudo que ameaçava seu irmão. Por azar, o outro também fugiu da coleira. Meu namorado se jogou meio para a frente, meio para o chão, com o intuito de apanhar o cachorrão entre um pulo e outro. O animal que criara a confusão vinha, irritadíssimo, na direção de Bambi, a fim de golpeá--lo, e, ao mesmo tempo, respondia aos latidos de Caubói. O trio se enroscou nas pernas de Rodrigo, dando voltas uns atrás dos outros. Em uma rápida sequência de gestos, os humanos trataram de separá-los e tudo se estabilizou, sem registros de feridos. Contudo, foi por pouco.

    Bambi compreendeu que se tornara ainda mais perigoso.

    Agora, além de sua própria fúria, ele podia contar com a força de Caubói.

CAPÍTULO 13:

Uma indomável vontade de viver

Considero o envelhecer um processo repleto de belezas, embora tenha também suas tristezas — que, muitas vezes, são mais aparentes. Lembro que, na infância, minha avó costumava pegar minhas mãos, observar com carinho e, depois, emendar: "Coisa linda uma mão de jovem". Eu não entendia o embasamento da afirmação, afinal, para mim, as mãos dela, compostas por caminhos de rugas e de tempo, eram tão mais elegantes. Eram expressivas. Carregavam um bocado de histórias, com gostos, desgostos, cicatrizes e desvios. Bambi, conforme foi se distanciando dos setenta e chegando mais perto dos oitenta anos, passou a deixar mais explícito o peso de todas as experiências que levava sob suas patinhas já enfraquecidas pela idade.

Ele começou a andar mais devagar, ficando para trás — em comparação ao seu desastrado e imenso irmão mais novo. O pequenino tinha ainda uma energia abundante. Permanecia capaz de latir até o dia raiar, se necessário fosse. Mas seu caminhar já não respondia aos comandos do corpo com o mesmo vigor. Como sabíamos que, para seu bem-estar, era fundamental que ele seguisse andando e se exercitando nos passeios, deixávamos que ele, em seu próprio ritmo, fizesse o percurso costumeiro e chegasse até a grama ou se dirigisse ao espaço mais cômodo onde pudesse se jogar lateralmente no solo e desfrutar do calor do sol por fartos minutos.

Bambi sempre fora friorento, e a velhice só acentuou essa característica nele. De manhã cedinho, ele levantava para procurar, dentro do apartamento mesmo, um cantinho ensolarado em que fosse possível se posicionar de forma a tomar um bronzeado. Aliás, o envelhecer, podia-se notar, acarretou uma sequência de hábitos rotineiros no orelhudinho. Além do sol matinal, ele passou a acordar no meio da noite, geralmente por volta das três horas da madrugada, a fim de beber água e, na sequência, fazer xixi. Como ele aparentava ter medo do escuro — ou, quem sabe, já não se sentisse tão confiante para andar pela casa e identificar a posição dos móveis sem contar com a visão e o olfato de outrora —, optava por se aliviar bem diante do comedouro, que era para não ter o trabalho adicional de ir até o cantinho das necessidades, afastado da comida. Vai ver ele só queria marcar território e dizer que os potes eram dele — e não de Caubói.

Um dia tivemos de fazer um raio X do pequeno corpinho do cão. Eu, sinceramente, acho a imagem adorável. Parece o retrato interior de uma miniatura humana. Segundo o técnico que orientou o processo, só penso isso porque não presenciei o trabalho que deu para esticarem Bambi assim, de forma que parecesse um bípede. Ele tentou, com empenho, devorar as mãos do moço encarregado pelo exame. Foi uma confusão. Eu, porém, sentada na sala de espera da clínica, só ouvi gritos abafados e distantes. Fiquei surpresa quando me avisaram que os resultados sairiam em poucos minutos. Pensei, com honestidade, que seria impossível domar a fúria do bicho e deixá-lo posicionado para capturar a fotografia. A tecnologia da medicina, por vezes, impressiona.

O fato é que, acho que vocês devem se recordar, Bambi foi a única cria de uma pinscherzinha ainda menor do que ele. Veio ao mundo todo magro — naturalmente — e desengonçado. Suas patinhas traseiras eram, desde sempre, mais altas que as dianteiras e ele tinha uma pata da frente um tanto quanto tortinha. Na juventude, como já destaquei, isso era puro charme e ele andava desfilando com leveza e elegância. Todavia, naquela altura, com quase duas décadas de existência, seu caminhar era difícil e, nos dias frios, sua sabedoria canina ensinou-o que o melhor a fazer era buscar um colo quentinho. Não era fácil carregar tanta história em quatro patas diminutas. A gente observava a determinação do peludinho em seguir vivendo e desconfiava que ele fosse feito de um punhado de pelos, de vários ossinhos, grandes orelhas e, sobretudo, de bastante resistência e teimosia. Gosto de imaginar que ele encontrava forças em todo o amor e carinho que recebia para se manter em pé, mesmo que suas perninhas estivessem bambas.

Para lá dos quinze anos, Bambi voltou a ter dores mais agudas na região do focinho. Essa inflamação, que até então desconhecíamos, acabou por atingir os olhos e provocar uma úlcera no cachorro. Toda a região da carinha dos cães é interconectada, e um problema na boca pode causar alterações oftalmológicas. No passado, o bichinho recusava-se a escovar os dentes — a responsabilidade de garantir a escovação dele, evidentemente, era nossa. Só que não tínhamos coragem de enfrentar a ferocidade do animal, que não nos permitia higienizar sua cavidade bucal. Foi um erro. Sei que já disse, mas reforçarei: escovem os dentes de seus peludos. Se, lá na juventude de Bambi, algum profissional tivesse sido mais enfático em nos alertar sobre a questão, teríamos evitado muita dor e sofrimento que o cachorro teve de enfrentar na velhice. Ele ficou bem. Mas foi um sufoco.

A úlcera na córnea ocular é uma ferida que aparece no olho e provoca inflamação, o que, por sua vez, gera dor, visão embaçada e a sensação de que algo está preso no olho. No caso de Bambi, em paralelo às irritações oftalmológicas, ele teve sintomas semelhantes aos de gripe em humanos, com o focinho congestionado e secreções saindo pelas narinas. Pensei, em um primeiro momento, que ele estava resfriado. Mas seu olhinho direito começou, rapidamente, a ficar inchado e bem remelento. Acionei minha veterinária de plantão, a Milla — minha prima e madrinha do cão —, que, então, já estava formada e trabalhando. Ela me deu as coordenadas iniciais para o tratamento e encaminhou Bambino para os cuidados de um colega especializado em oftalmologia canina.

O médico tentou examinar Bambi, inicialmente, sem pedir reforços. Mas foi preciso solicitar ajuda para um ou dois — a depender do dia — membros da equipe de apoio da clínica. Também foi fundamental providenciar uma focinheira para o cachorro. Ele não permitia que futricassem em seu corpinho sem protestar e demonstrar, com os dentes e os latidos, toda a sua revolta. O veterinário me olhou fixamente e perguntou: "Você está com tempo?". Respondi, sem pestanejar, que, para o Bambi, sempre haveria tempo. Ele então me explicou que a situação era caso de cirurgia. Entretanto, considerando-se a idade avançada do bicho, poderíamos, primeiro, tentar reverter o quadro. Para isso, contudo, teríamos de aplicar uma sucessão de seis colírios em breves intervalos de menos de uma hora. Inclusive de madrugada.

Voltei para casa com os remédios em mãos e acionei a outra madrinha do cão: Gabi. Ela veio para unir esforços à missão de medicar o bicho durante os primeiros dias, que eram os mais difíceis e também os determinantes. Como eu e Rodrigo tínhamos de seguir com a rotina de trabalho, preparamos escalas e organizamos os horários para que sempre houvesse alguém ao lado do peludo, aplicando os colírios. A ordem médica era administrar os remédios a cada meia hora ou quarenta minutos — a depender do medicamento —, com intervalos de cinco minutos entre eles. Havia um deles apenas que era utilizado só uma vez a cada doze horas e outro cuja frequência era de quatro em quatro horas. Elaboramos cronogramas com o passo a passo e, na teoria, não parecia nada complexo. A prática, contudo, mostrou que três dias de tal dinâmica seriam esgotantes para toda a matilha.

Se vocês fizerem os cálculos, vão observar que, de tempos em tempos, os horários de aplicação dos remédios e os intervalos necessários faziam com que ocorresse somente uma brecha de dez minutos entre um e outro. Programamos diversos despertadores para abarcar o calendário de medicação. De madrugada, o sono não podia nos vencer. A vida de Bambi estava em risco e precisávamos ser fortes para ajudá-lo. Ele, de início, ficou irado com aquelas gotas que pingávamos em seu olhinho. Algumas provocavam ardor e ele respondia com mordidas e rosnados coléricos. A exaustão, porém, também o alcançou e, eventualmente, ele parou de resmungar. Simplesmente deixava que os colírios fossem aplicados para que pudesse retornar o mais rapidamente para seus doces sonhos de cão.

Tenho de atribuir os méritos das noites em claro a Rodrigo. Ele, lá pelas tantas, começou a acordar antes mesmo dos despertadores e, com segundos de antecedência, já se posicionava para injetar o líquido no olho do cachorro, de modo que, na sequência, depositava Bambi na caminha com agilidade, deitava de novo e aproveitava os poucos minutos que possuía para cochilar antes de repetir o processo. O espaçamento entre os remédios foi, progressivamente, aumentando. Em uma dezena de dias tudo já estava estabilizado e Bambi retornou ao consultório do veterinário. O profissional avaliou o bicho e constatou que a úlcera havia regredido. O peludinho não precisaria ser operado. O médico recomendou a utilização regular de alguns colírios, para evitar novos problemas e aconselhou fortemente que levássemos o pet a um dentista. O problema, muito provavelmente, decorria do estado de saúde bucal de Bambino.

Assim, o cão foi encaminhado aos cuidados de outra veterinária, desta vez uma profissional especializada em odontologia. Os dentes de Bambi foram analisados, e constatou-se que o bichinho já devia estar, há algumas estações, sofrendo com o deterioramento dessas estruturas que compõem a boca. A médica me explicou que os cães costumam dar menos indícios de dor do que os humanos.

Eles se adaptam às condições que têm e vão ajustando, por exemplo, seu jeito de comer e de mastigar. O pequenino devia fazer esforços para ingerir o mínimo de nutrientes necessários para sua sobrevivência, evitando, dessa forma, utilizar os dentes em demasia. Não à toa, podíamos observar um gradual emagrecimento do miúdo.

Bambi estava com todos os dentinhos comprometidos e precisou extrair cada um deles. A cirurgia demandava anestesia geral, o que, para cães em qualquer idade, já é perigoso. Para um bichinho idoso, nem se fala. Tive a imensa sorte de contar com uma equipe de veterinários muito competentes e comprometidos. Marcelle, uma amiga querida da matilha, anestesiou o orelhudo com cuidado e dedicação. Milla acompanhou os procedimentos de perto e me repassou informações em primeira mão. Já a dentista removeu os dentes do bicho, limpou bem a gengiva para não deixar resíduos que pudessem ocasionar novos problemas, deu pontos ao longo da boca do cachorro e esperou que ele acordasse. Acho que ele retornou da anestesia revigorado, sem dores e sem incômodos, pronto para latir.

E, obviamente, foi isso que ele fez. Latiu impetuosamente, reivindicando que algum humano com o mínimo de compostura fosse até lá resgatá-lo. De preferência, que esse humano fosse eu. Todavia, eu não estava por perto — quando soube que o peludo teria alta, saí do trabalho rumo à clínica, mas fui surpreendida por um congestionamento acentuado de fim de tarde. A secretária do estabelecimento, que ouvia os protestos zangados do cão, comoveu-se com o cenário — ou simplesmente não suportou aqueles incessantes gritos. Tenho de registrar aqui meu agradecimento por ela ter acudido o quase-suricate. A moça foi até o cômodo onde repousava o animal pós-cirúrgico e o apanhou para si, depositando-o no colo com cautela, já que ele estava com o focinho inchado e com pontos na boca. Bambi, instantaneamente, parou de latir e acomodou-se confortavelmente nas pernas da humana. Para ele, ela não fazia mais do que sua obrigação. Para mim, foi uma atitude tocante — e que evitou complicações pós-operatórias em decorrência da loucura do paciente. Dali em diante, sem males e sofrimentos, a vida do cão ficou mais leve. Ele, em contrapartida, ficou bem mais pesadinho. Dois dias após o procedimento cirúrgico, o cachorro pôs-se a comer animadamente. Ele ultrapassou os dois quilos. Foi um recorde. E nem precisamos de ração úmida para atingir tal feito. O estado banguelinha de Bambi abriu seu apetite e ele pôde voltar a comer como antigamente. Tornou-se um cão mais ativo, menos mal-humorado, e até arriscou a empenhar-se mais na socialização com outros animais, como Caubói costumava fazer. O pequeno passou a cumprimentar cachorros mais ou menos — mais para menos — de seu tamanho, para cheirar, brincar e interagir. Ele sacudia o pitoco rabinho quando qualquer peludo somente três ou cinco vezes maior que ele se aproximava. Queria fazer amizade com dachshunds — os conhecidos salsichinhas — e shih-tzus. Era uma euforia jovial e divertida.

 Nessa fase, saíamos pela cidade, procurando espaços mais amplos por onde Caubói pudesse correr — sem deixar rastros de destruição — e fazíamos diversas amizades caninas. Bambi, apesar da alegria de ter se livrado da dor nos dentes, não perdera sua essência de fúria e irritação. Ele gostava de se aproximar de cães menores, mas não queria que nenhum grandalhão se aprochegasse demais. De enorme e desajeitado, já bastava Caubói. Verdade seja dita: a relação do pinscher com o amstaff originou graves problemas que nos deixavam de cabelos em pé. Não que o peludão não soubesse respeitar o pequeno. Ele sabia muito bem e não ousava procurar confusão com o minúsculo irmão mais velho. A questão é que Bambi, ao notar que, com uma dúzia de latidos, o outro fazia todas as suas vontades, passou a aproveitar-se disso.

Bambino fazia gato-sapato do caçula. Dava pulos para morder a cara do grandalhão com maior eficiência. Colocava o irmão para correr quando bem entendia. Se ele e Caubói, juntos, destruíam algum item da casa, no momento em que eu chegava e via o ocorrido, Bambi se punha a brigar com o peludão, fazendo de conta que este agira sozinho. Nas ocasiões em que Caubói estava deitado e Bambi queria que ele saísse do lugar onde estava, o pequeno erguia a orelha do grande, ajeitava o focinho o mais perto possível e se punha a gritar no ouvido do companheiro. Pacientemente, o grandão abaixava os olhos, suspirava e jamais reagia. Ele sabia que tinha de respeitar o bicho mais velho do lar. Não havia outra opção.

Bambi, decerto, concluiu que os outros cachorros também tinham de se curvar perante ele. Afinal de contas, ele era, comumente, o ancião canino dos lugares que frequentava. Um dia, um jovem fila brasileiro percebeu que algo em minha bolsa se mexia — com o tempo, passei a carregar Bambi em bolsas acolchoadas, uma vez que ele nem sempre queria andar, mas invariavelmente queria passear. O cão de porte gigante colocou-se em duas patas para tentar visualizar — e cheirar — melhor o que eu carregava na sacola. Ao assumir uma postura bípede, o animal ficou quase de meu tamanho. Ele introduziu com delicadeza o focinho na abertura da bolsa para farejar o que havia ali. Então, Bambi, com toda a sua braveza, despontou do interior do acessório e abocanhou o nariz do intruso. Aqui, devo mencionar um relevante detalhe: a veterinária-dentista já tinha me alertado sobre os perigos da mordida gengival. Uma investida mesmo sem dentinhos também é bastante potente. E dói. Ao menos em humanos. O fila, contudo, não demonstrou ter se ferido com o ataque. Apenas se retirou de mansinho e desistiu de insistir na sociabilização com o miúdo feroz. Não foi a única nem a última vez que Bambi avançou contra cães incontáveis vezes maiores que ele, encorajado pela maneira como, com seus latidos, fazia de Caubói seu subalterno. A circunstância mais assustadora foi em uma tarde em que eu e Rodrigo levamos os cachorros para tomar banho no lago. Bambi, evidentemente, não punha uma só pata na água; sentia nojo e frio. Preferia ficar deitado sobre a canga, gozando do sol vespertino. Portanto, estendi a saída de praia e os demais pertences, de modo que eu e o pequeno ficássemos virados para a água, apreciando os mergulhos do grandão e as risadas de Rodrigo, que se divertia com as dificuldades do peludo maior de nadar sem deixar o quadril afundar.

    De repente, reparei que a feição de Rodrigo mudara. Ele fazia sinais, tentando avisar sobre a ameaça que corria em nossa direção. Ouvi os passos desenfreados de um bicho que, pelo barulho, devia ser enorme. Olhei para trás, já desconfiando de que não haveria muito para onde correr, e me defrontei com um pastor alemão macho, vermelho e preto, de cerca de quarenta quilos e mais de sessenta centímetros de altura. Fiquei atemorizada ao notar que o animal se dirigia para Bambi e não seria possível contê-lo. Tentei pegar o pequeno no colo. Bambino, por sua vez, também se pusera a andar aceleradamente na direção do cachorrão. Quando o pastor alemão se abaixou para cheirá-lo, o pinscher pegou impulso para pular no focinho do desconhecido e começou a alternar investidas de pulos e de rosnados contra o outro. O grande cão, ainda bem, era calmo e não se incomodou com a violência do minúsculo. Seus humanos assobiaram, chamando-o para perto, e ele, sem demora, se retirou.

    Caras leitoras, caros leitores, uma vez que a gente se apega a alguém, é preciso ter o coração forte para suportar os baques da vida e os perigos aos quais o ser amado é submetido cotidianamente, apenas por existir. Porque viver, vocês já devem ter reparado, é algo cheio de riscos. Eu, é claro, me apeguei ao Bambi desde o instante em que ele ainda era um pequenino orelhudo que cabia na palma de minha mão. Sofremos, eu e ele, desde então, incalculáveis reveses, contratempos atrelados à existência. O que me provocou um remorso sem igual, creio, foi o episódio em que o cãozinho caiu da bolsa. Para acomodá-lo melhor nos passeios, encomendei uma espécie de sacola (a qual mencionei há pouco) feita especialmente para cachorros. Era um acessório estofado, revestido com macias espumas na parte interna e que possuía alças externas para que humanos pudessem carregar o aparato com um bicho dentro.

    No dia em que o item chegou, instalei o peludinho dentro dele e fomos passear. A bolsa continha um cinto que podia ser acoplado ao peitoral do usuário. Como Bambi já não usava mais tais tipos de amarras, mas andava sempre de roupa, por causa do frio, prendi sua vestimenta à faixa de segurança. A proteção, entretanto, não foi efetiva. O pequenino conseguiu se desvencilhar da presilha e, por meio da abertura da bolsa que não estava totalmente cerrada, foi abrindo espaço até que seu corpo todo pudesse passar por ali. Não sei se ele se jogou para tentar chegar ao chão mais rápido — sem saber que poderia se machucar — ou se ele simplesmente se desequilibrou. Só sei que minha tia, que conversava comigo no momento, disse, preocupada: "O cachorrinho caiu". Meio zonza, sem entender o que se passava, olhei em volta a procura de meu amor canino. Ele estava estatelado no chão, tal qual ocorrera naquela ocasião da escada na casa da tia Mara. Seu corpo encontrava-se rígido e ele só movia, um tanto assustado, o globo ocular.

Foi apavorante. Apanhei o cachorro diante de meus pés e saí, aos prantos, correndo, em busca de qualquer conhecido para pedir ajuda. Tínhamos de encontrar um veterinário ou qualquer profissional de saúde que pudesse socorrer o cão. Uma prima de Rodrigo que soube do acidente chegou às pressas com um carro, já abrindo a porta para que entrássemos no veículo. Ela conhecia uma clínica veterinária para emergências e tomou a dianteira para, o mais rápido possível, nos levar até lá. Bambi, no caminho, foi relaxando a musculatura e voltando à sua normalidade — que não era tão normal assim. Foi necessário aplicar-lhe soro, e ele passou a tarde em observação. Ficamos lá por horas, só nós dois. Eu o analisava, admirada com sua resistência e ainda sentindo a respiração ofegante de medo. Senti medo de perdê-lo e da finitude da vida, por mais latente que seja a possibilidade do fim.

O bichinho estava habituado, àquelas alturas, a ir ao veterinário. Fez isso por quase dezessete anos. No começo — lembram? —, ele ia ao doutor Amorim, que cuidava de cavalos e, por uma questão de mercado, acabou por mudar de área. Passou a tratar de bichos de porte mais robusto, como Bambino. Quando nós, humanos, colocávamos o cachorro no carro e virávamos à direita, rumo a uma estrada de pistas largas, o orelhudo já pressentia seu destino: a injeção do homem dos equinos. Então ele latia com brabeza até chegar à consulta, durante e um pouco depois do atendimento também, para não perder os bons hábitos de pinscher. Depois, sua própria madrinha, que o batizou, também vestiu um desses jalecos e passou a lhe repuxar orelhas e patas nos encontros não dominicais. Já nos almoços de família, ela fazia de conta que jamais o ameaçara com seus instrumentos veterinários naquela mesa gélida de consultório. O pequeno punha-se incrédulo com tamanho disparate.

O fato é que ele passou por dentista, oftalmologista, dermatologista e tudo quanto é especialidade da medicina canina que vocês possam imaginar. Não é fácil envelhecer. Bambi ficava furioso quando resolviam mexer nele e investigar seu corpinho. Até porque, para isso, tinha que sair do colo quentinho de sua humana. Muitas vezes, sua irritação era tamanha que os profissionais de saúde, desconcertados com o tamanho e a agressividade do cão, precisavam colocar nele uma focinheira. Eis aí uma questão interessante. Não raro, as focinheiras eram grandes e cobriam seus olhos ou ficavam folgadas de tal forma que não era possível realizar ajustes. Depois, acabaram chegando aos consultórios que ele frequentava uma focinheira de pano maleável tamanho PP, que cabia no pinscher. Como a indústria demorou para perceber que não é preciso ser grande para colocar medo, não? Aliás, não teve um só médico no histórico do peludinho que não tenha ficado de pernas tremendo ao sentir a ameaça de sua mordida. Ele era uma verdadeira fera.

CAPÍTULO 14:

Um cão bem-apessoado

D epois de meia dúzia de meses com Caubói dizimando a quitinete, depreendi que não havia como manter um cão daquelas dimensões em um espaço tão reduzido, apesar de todos os passeios, brinquedos e distrações. Bem, isso já fora constatado, na realidade, nos primeiros dias em que o grandão esteve no apartamento. Mas, naquelas circunstâncias, eu ainda não tinha como me mudar. Na mesma época, eu e Rodrigo decidimos morar juntos. Alugamos um imóvel com o triplo do tamanho de meu conjugado anterior e destinamos um cômodo inteiro para os cachorros — e também para algumas caixas e itens pouco utilizados no cotidiano. Ao ser apresentado ao novo lar, Bambi embrenhou-se na casa, averiguou cada metro quadrado com atenção e, na sequência, deitou em sua caminha e foi tirar um cochilo tranquilo. Ele aprovou a troca.

Caubói, por outro lado, não gostava de mudanças. Ficava emburrado com novidades — exceto quando se tratava de novas opções de comida — e preferia preservar tudo como estava, sem grandes alterações. Ele adorava as coisas como elas eram. A matilha, a ração, os petiscos, as brincadeiras. Por isso, ao ser colocado em um novo apartamento, ele reagiu com desgosto e logo tratou de providenciar maneiras de nos retaliar. Fuxicou nas embalagens de mudança e localizou um robusto capacete de ciclista que Rodrigo usava para ir trabalhar. Decidido a nos dar o troco por termos deixado a quitinete para trás, ele devorou com vontade cada pedacinho do equipamento. Sobraram destroços dispersos e não identificáveis no piso da sala. Ocasionalmente, porém, o bichão acabou por se adaptar ao apartamento maior.

Com o passar do tempo, a relação de Bambi e Caubói foi ganhando contornos ainda mais nítidos de uma dinâmica que os colocava em posições de dominador e subordinado, respectivamente. O pequeno atacava o irmão quase que sem propósito, apenas para se autoafirmar. E Caubói não se atrevia a responder, ele sabia que, em termos de tamanho, não seria uma briga justa. Desconfio seriamente que Bambi se considerava mais ou menos do porte de um dobermann, enquanto Caubói se via no espelho refletido como um exemplar diminuto de buldogue francês. Arrisco dizer que nenhum deles tinha ideia de suas reais proporções. O que causava algumas situações às vezes engraçadas, outras, desesperadoras.

Embora cômico, foi angustiante, por exemplo, o dia em que Bambi, em um golpe certeiro, agarrou-se às partes íntimas de Caubói e não queria, de forma alguma, soltar. Estávamos reunidos na sala de casa, todos os moradores do recinto e também as praticamente residentes do lugar, Amanda e Thai — as mesmas amigas que cuidaram dos bichos na ocasião em que eles rasgaram a almofada de pequenas bolas de isopor e cobriram a quitinete com flocos que lembravam neve. As duas, além de passearem com os cães, ajudavam com os cuidados deles em diversas situações. Nessa plácida noite, nos encontrávamos sentados em volta do tapete da sala, em cadeiras e caixotes improvisados, já que o apartamento ainda não contava com todos os móveis.

De súbito, Bambi irritou-se com o irmão e se pôs a latir ferozmente para o caçula, mostrando as gengivas, com indignação. Thai tentou resgatar Caubói dos ataques do pequenino, levantando o grandalhão em duas patas para afastá-lo do tapete. Foi então, ao vislumbrar o abdome de Caubói à mostra, que Bambino aproveitou a brecha: ele saltou de uma só vez e prendeu-se com a boca no pênis do peludão. Houve uma gritaria generalizada por parte das meninas. Eu tentava puxar Bambi de modo a evitar que Caubói se ferisse, ao passo que Thai fazia o orelhudão andar de ré, com esperanças de que, assim, Bambi se desgrudasse da genitália do primeiro. Amanda não sabia para que lado correr, na tentativa de separar os bichos, e Rodrigo ria da cena. Caubói não dava indícios de dor, ainda que seus olhos estivessem arregalados perante os nossos barulhos e ruídos. Após vagarosos minutos, Bambi deu-se por satisfeito e abriu a boca, deixando o corpo cair com precisão no solo.

O par de irmãos caninos se unia, entretanto, para encarar com desconfiança a movimentação de itens da casa que, embora inanimados, tinham capacidade de se locomover. O que mais os deixava cismados era o robô aspirador, um utensílio muito prático que providenciei para resguardar Rodrigo das alergias que os pelos dos bichos provocavam em sua pele e aparelho respiratório. A máquina tinha um formato arredondado, duas rodinhas traseiras e uma dianteira e uma câmera por onde irradiava uma luz, destinada a mapear a casa para otimizar a limpeza. Ao acionarmos o artefato, ele se punha a percorrer as peças do apartamento, varrendo-as com presteza. Os peludos, porém, não aprovavam a presença do dispositivo.

Bambi costumava acompanhar, com insatisfação, os movimentos do robô. Ao esbarrar no equipamento, ele não desviava, é claro. Aguardava que o objeto se curvasse a ele. O instrumento, contudo, não identificava o cãozinho como um obstáculo e passava direto nos espaços em que o pequeno estava acomodado, derrubando-o ou deixando-o cambaleante vez ou outra. Bambino não ficava nada contente. Já Caubói tinha uma atitude mais amedrontada e se colocava na defensiva diante dos deslocamentos do aspirador. O bichão, para começar, era totalmente avesso a barulhos. Os latidos de Bambi já esgotavam toda a cota de audíveis estampidos que ele podia suportar. Como o aparelho fazia um ruído contínuo, o orelhudão já ficava de pata atrás. Quando o apetrecho chegava perto, ele dava pulinhos assustados de um lado para outro e rosnava timidamente. Um dia, para o pavor de Rodrigo, Caubói deu uma mordiscada no utensílio. O humano pensou: "Acho que se o cachorrão destrói o robô, ele é expulso de casa". Mas todos saíram ilesos e ninguém teve de ir embora do lar.

Com o decorrer dos meses, as consultas veterinárias de rotina de Bambi tornaram-se mais frequentes. Em razão dos problemas de saúde que teve e também de sua idade avançada, ele passou a encontrar com Milla no ambiente de trabalho dela com maior regularidade. Ela o examinava, pedia exames e verificava se estava tudo bem. Em um desses encontros, a madrinha do cão identificou que ele tinha algo na região dos testículos que podia ser um tumor. A medida mais sensata seria castrá-lo, a fim de evitar complicações futuras. Conversei com meu pai e avaliamos juntos a questão. Era preciso mensurar se valia a pena submeter Bambi a uma nova anestesia — procedimento que poderia ser fatal.

O bichinho não chegara a se reproduzir ao longo da vida. Não por falta de oportunidade. Houve uma circunstância, quando ainda morávamos no mesmo condomínio que Brisa e nos deleitávamos com os tempos áureos da juventude, em que uma vizinha do prédio da frente encantou-se com o charmoso caminhar de Bambi e bateu lá na porta de casa com uma proposta. Ela queria levar o peludinho para passar uma noite em seu apartamento, com o intuito de que ele e sua cachorrinha — que também era uma pinscher — pudessem se conhecer melhor e, com sorte, fazer alguns filhotinhos. Minha mãe me perguntou o que eu achava e, animada com a ideia de ter um mini Bambino, aceitei o convite. Conhecemos a fêmea, fizemos as devidas apresentações entre os bichos e Bambi foi, de malinha e tudo, dormir no lar de sua pretendente.

Por volta das três da manhã, a mulher tocou, novamente, a nossa campainha. Ela trazia Bambi e sua mala nos braços. Aturdida, ela explicou que o cachorro não quisera iniciar qualquer tentativa de flerte com a potencial namorada. Ele fugia em disparada da cadela, esquivando-se da possibilidade de conceber herdeiros. Ao mesmo tempo em que se esgueirava das investidas da fêmea, o cão latia e implorava que, por favor, alguém o levasse de volta para sua matilha. Dizem que, para o cruzamento acontecer, é necessário que o macho esteja em seu próprio território ou, no mínimo, que ambos os amantes estejam em um território neutro — como a rua. Não sei. Cá entre nós, sempre achei que Bambi não queria trair seu amor por Brisa e, uma vez que não pôde consolidar a paixão com a cachorra escolhida, acabou optando pelo celibato.

Autorizamos, então, a castração de Bambi. O longevo cãozinho já ultrapassara mais de quinze anos na contagem humana e, apesar disso, era detentor de exames de sangue exemplares, com tudo nos conformes. O único fator adverso — além da idade e dos próprios riscos inerentes a um processo cirúrgico — era o fato de que o bicho fora diagnosticado com um sopro no coração. É comum que pinschers idosos desenvolvam doenças hepáticas, renais e cardíacas. Sendo o sopro uma doença mais corriqueira em cães de menor porte. Tínhamos de tomar as devidas providências para garantir que Bambi usufruísse da melhor qualidade de vida possível no tempo que lhe restava. E decidir pela castração e pela remoção do eventual tumor era parte disso.

Levamos Bambi no início da manhã para a clínica onde ele seria operado. Marcelle, a anestesista, nos recebeu com carinho. Ela, mais uma vez, faria parte da equipe que realizaria a cirurgia no orelhudo. Milla também acompanhou todo o processo. Em um par de horas ou dois, o pequeno estava pronto para retornar para casa. Ele voltou para nós ainda entorpecido pelos efeitos do sedativo. Usava uma daquelas roupas justas e engraçadas com as quais vestem os cachorros após esse tipo de procedimento. Era um macacão azul bem estreito que o fazia parecer um atlético cão prestes a dar saltos de ginasta. Ele — não poderia ser diferente — tinha um ódio profundo da vestimenta. Aliás, o bicho não gostava de nenhum traje que envolvesse suas quatro patas simultaneamente. Ele aceitava vestir somente duas patinhas por vez.

Em poucos dias, recebemos o resultado da biópsia. O tumor era maligno. Ainda bem que já havia sido retirado de uma vez e Bambi estava a salvo. Sem delongas, ele pôde regressar para as indumentárias habituais disponíveis em seu guarda-roupa. O armário do pet era dotado de diversas roupas que mal cabcriam em uma boneca, de tão diminutas. Eram vestes apropriadas para o tamanho do pinscher. Havia uma coleção de pulôveres invernais, com listras, bicolores, monocolores, com e sem capuz, com mangas adornadas e de tecido liso. Existiam, igualmente, opções propícias para a primavera e para o outono, de revestimento mais leve, floridas e com coloridos desenhos. Parte essencial do requinte do ancião era apresentar-se invariavelmente enroupado, alinhado e gracioso. O uso de roupas também colaborava para que, na rua, ele não fosse confundido com esquálidos ratinhos. Embora fosse cão, ele estava sempre bem-apessoado.

Com o suceder dos anos, banho foi outro hábito humano que Bambi resolveu adotar para si — não exatamente por causa da água morna e corrente ou porque gostasse do perfume que o sabonete neutro de cachorro exalava; ele não tinha grande apreço por essa etapa do processo. Ele prezava mesmo era pelo momento de se secar. Sua idade avançada já não permitia mais que seus orelhões escutassem como antes, mas, em compensação, podia apreciar a brisa quente soprada pelo secador. O bicho rolava para um lado e para o outro, fechava os olhinhos deliciando--se com a atividade e quase pegava no sono conforme eu o acariciava para facilitar a secagem dos pelos. Era um momento único e gratificante: não havia fúria, não havia latidos, restava só paz.

CAPÍTULO 15:

Os dissabores do envelhecer

Como em um piscar de olhos, Bambi completou oitenta anos na contagem canina. Ao despontar de cada segunda-feira, ele acordava já fazendo focinho de desgosto, pois sabia que tinha de começar a semana tendo que se exercitar. A rotina de Bambi por uma velhice com mais qualidade de vida era intensa. E nem sempre fácil. Ele passou a contar com regulares sessões de fisioterapia e de acupuntura para melhorar seu bem-estar. Isso o deixou com mais energia. Mas, ainda assim, ele percebia que a simples ação de levantar, por exemplo, não raro resultava em uma atividade trabalhosa. O corpo não respondia mais como antes: era preciso fazer acrobacias para se pôr em pé. O peludo ficava irritado e latia, latia, latia. Típico Bambi. Seus barulhos eram tão característicos que, certa manhã, Rodrigo estava na fila do consultório aguardando a fisioterapeuta indicar que era a vez do cachorro, quando, agoniado com a espera, o orelhudo se pôs a latir. Lá de dentro, as veterinárias anunciaram: "É o Bambi". Uma garotinha que também estava na fila na entrada da clínica mostrou-se perplexa: "Elas reconhecem ele pelo latido?!".

Os latidos, por outro lado, eram sinal de que o tratamento trazia de volta sua essência, revelando um cachorro agitado, andante e impaciente. Com as sessões, as quedas diminuíram e, de imediato, a vontade de caminhar pela casa aumentou. Ele se perdia algumas vezes, confundia os caminhos e, novamente, ficava furioso. Minha sábia avó bem colocou, um dia: "As pessoas riem dos velhos como se não fossem envelhecer". Puro engano. Qualquer hora, a gente também chega lá. Bambi, em decorrência de uma teimosia que sequer cabia em seu corpinho minúsculo, com algum mau humor, aceitou o envelhecer. Mas não aceitava de jeito algum se deixar abater. Sorte a nossa.

Em uma noite não tão distante, ele teve dificuldades em se levantar da caminha no meio da madrugada, rompendo com o ritual diário de beber uma água, aliviar a bexiga e observar os movimentos da casa. Eram cinco horas da manhã e nem os humanos nem Caubói atenderam aos seus latidos conforme costumávamos fazer (quase) de prontidão. O jeito, então, constatou o cão, era fazer seu xixi noturno-matinal lá mesmo, em meio às cobertas. Quando notei o ocorrido se repetindo em uma sequência de dias, tomei uma decisão que Bambi interpretou como uma medida para lá de irritante: passei a vesti-lo com algo que, para ele, parecia uma estranha saia branca a ser utilizada só na hora de dormir. Eram fraldas. Eu buscava acalmá-lo, dizendo que eram para o seu bem e que ele ficaria mais confortável assim. Mas, quando as luzes se apagavam e todos iam dormir, às escondidas, o pequeno arrancava as vestimentas com determinação. Era a sua natureza selvagem predominando. Ele gostava de ser um cão livre e, nas madrugadas, nu.

Para além das fraldas, um dos veterinários responsáveis pela fisioterapia de Bambi recomendou que providenciássemos também tapetes antiderrapantes para cobrir, se não a casa inteira, ao menos os lugares pelos quais o cachorro mais se deslocava. Tratamos, então, de forrar com tais materiais parte da cozinha, a área onde ficavam as vasilhas de água e comida dos bichos e o cômodo onde os cães dormiam. No dia a dia, eu carregava para diferentes cantos do apartamento uma passadeira quase retangular, que eu mesma cortara, para dispor nos locais em que o pinscher quisesse ficar. Ele sentia-se aconchegado sobre aquele piso emborrachado.

De maneira inversamente proporcional ao que sentia pelos tapetes, tinha pavor dos sapatinhos ortopédicos que tentamos convencê-lo a usar. As peças lembravam pequenos balões murchos e eram de um verde fluorescente que assegurava que os itens jamais seriam perdidos no interior da residência. Mas Bambi não aceitava se sujeitar a andar de patas calçadas. Não conseguindo se livrar dos utensílios ao esticar braços e pernas para todos os lados, como ele fizera com o sapato que teve na juventude até perder um pé e inutilizar os demais, ele deu um jeito de fazer as bexiguinhas desaparecerem em algum canto não identificado do apartamento. Decerto contou com a ajuda de Caubói para tanto. Até hoje, não reencontramos os chamativos objetos.

A dieta do cão também teve de mudar em função da idade. Após tirar os dentinhos, o peludo, sob recomendações veterinárias, pôde continuar comendo ração sólida normalmente. A mastigação canina é bem diferente da humana, e eles basicamente engolem o alimento sem triturá-lo da mesma forma que nós. Contudo, com o decorrer dos anos, pessoas e cachorros vão perdendo forças e vitalidade. Para estimular Bambi a comer melhor, investi na ideia de preparar uma alimentação natural para ele, cozinhando carnes e legumes, porém, sem usar sal. Era algo semelhante com a papinha de Laura na infância — prato que o miúdo adorava. Entretanto, depois de duas ou três semanas, ele enjoou da refeição e voltou a pedir sua costumeira ração. Experimentei bater o alimento sólido no liquidificador, com um fio de azeite, e ofereci ao cão. Ele devorou tudinho com entusiasmo. A partir dali, ração pastosa se tornou seu lanche predileto. Se eu passasse um pouco da hora de preparar a porção, ele latia enfurecidamente, exigindo que eu o alimentasse sem demora.

Devo admitir que nem tudo no convívio — e no cuidado — com um cão idoso são alegrias. Na realidade, há muitas dificuldades e desafios. A gente tem de ter paciência e empatia com o bichinho, afinal, ele não entende ao certo por que seu corpo está parando de responder adequadamente aos comandos da cabeça. Bambi ficava triste ou irritado ao não conseguir desenvolver suas atividades de rotina. Caía por cima do xixi — ou do cocô — e precisava ser levado para banhos de última hora. Trocava o dia pela noite e ficava com o sono desajustado. Tinha de tomar uma série de remédios para artrite, artrose e um monte de outras dores da idade. Ele começou a usar diversos medicamentos depois que virou um octogenário canino. Um deles era uma solução para ajudá-lo a dormir melhor — o que, por consequência, ajudaria a gente também.

 Houve uma fase em que ele simplesmente acordava por volta de uma da manhã e latia incessantemente até o amanhecer. Depois ia para a fisioterapia e cochilava por lá, nos aparelhos de relaxamento. Era tão desesperador para os demais habitantes da casa que tentávamos nos revezar para evitar o alarido noturno. Quando dava meia-noite, Caubói se colocava ao lado do irmão e ficava lá sentado até Bambi pegar no sono. No momento em que o pequeno despertava, no início da madrugada, eu e Rodrigo tirávamos um sonolento par ou ímpar para ver quem iria primeiro acudir o bicho. No geral, eu perdia. Então eu me dirigia até o quarto dos cães, pegava Bambi no colo, colocava-o para comer, para fazer xixi, para ficar em pé. Trocava a roupa, redistribuía as cobertas, embalava-o um pouco. Às vezes, ele só queria sentir que estávamos ali, bem perto.

Tenho de ser honesta. Ver quem a gente ama definhando é doloroso. Em diversas ocasiões, fiquei arrasada quando as pessoas se deparavam com Bambi e diziam que ele não ia bem, ao verem suas perninhas ou seu estranho caminhar. Incontáveis vezes ouvi comentários como: "Xi, o meu cachorro morreu com esta idade" ou "Achei que o Bambi não passaria de tal data". O cãozinho, entretanto, como que para me consolar, me fitava com doçura, sustentando uma feição acalentadora. No fundo, sei que envelhecer faz parte. Quanta poesia existe em um punhado de pelos (ou cabelos) brancos?! Quanta história para contar... Além do mais, o que o pequeno bicho tinha de barulhento, tinha de teimoso — eu bem sabia. E ele teimava muito em continuar pertinho de mim. Era, reforço, a criaturinha de quatro patas mais obstinada deste mundão. Era capaz, por exemplo, de ficar o dia todo vigiando a comida para garantir que Caubói não tivesse acesso ao pote. Também latia por horas a fio, caso não realizassem todos os seus desejos, um a um. Acima de tudo, resistia a patas tortas, às quedas, à catarata, ao frio, à idade. Não tenho dúvidas de que Bambi achava que viver era mesmo bom pra cachorro. Ele se recusava a abrir mão (ou pata) de toda a aventura que é estar aqui.

CAPÍTULO 16:

As rugas têm seus encantos

E m uma das noites em claro de Bambi — e nossas e dos compreensivos vizinhos, que entendiam que o longevo cão estava debilitado —, fui até o quarto, acendi a luz e o admirei com ternura. Ele não encontrava uma posição confortável o suficiente para ficar deitado, por isso coloquei-o em pé sobre o tapete antiderrapante. Meu companheiro de toda a vida ficou ali, meio cambaleante, tentando se equilibrar. Corcunda e com uma anatomia que, com o transcorrer do tempo, foi se adaptando às condições que tinha, Bambino já não conseguia manter a cabeça erguida. Ainda assim, ele levantava os olhinhos para também me contemplar. Desde filhote, ele me observava, revelando um misto de admiração e carinho que, se ele fosse gente, até me causaria desconforto. Mas ele era meu melhor amigo, meu parceiro de quatro patas. E eu amava ser tão amada por ele e amava ainda mais poder retribuir tanto amor até o fim.

Foi naquele instante que pressenti que não teríamos mais muito tempo juntos. Eu me encolhi contra a parede e chorei de mansinho, agradecendo a ele pela nossa amizade e pelo esforço que ele fazia para ficar mais um pouco ali, comigo.

Em seguida, veio uma pandemia que assolou o globo e que nos obrigou a fazer pausas e a ficar em casa. Adotei o trabalho remoto e fiquei trancafiada com os bichos dentro do apartamento. Na rua, não havia gente ou ruídos de carros. Podíamos ouvir o trepidar das folhas sacudindo nas árvores. De início, os cães não aprovaram o isolamento. Mas, rapidamente, Bambi identificou vantagens na minha constante presença no lar: ele tinha colo e carinho à vontade ao longo de manhãs e tardes inteiras. A fisioterapeuta me dizia que não era uma boa ideia mimá-lo assim, ele ficaria mal acostumado quando a quarentena acabasse. Não dei ouvidos. E se não houvesse o depois? Afeto é algo que se troca no agora — bobagem deixar para amanhã. Bambi também pensava assim.

Em uma noite de abril ou maio, não me recordo com precisão, eu estava na sala, fazendo exercícios, apoiada em um colchonete. Notei uma movimentação atípica que vinha do quartinho dos bichos. Subitamente, o orelhudinho surgiu na porta da sala. Ele atravessara a cozinha de maneira lenta para chegar até o cômodo onde eu me encontrava. Ao me avistar, continuou andando com dificuldade, encostando-se nas cadeiras e na mesa para firmar melhor o corpo. Um pouco desnorteado, foi e voltou, deu meia dúzia de voltas e tentou recorrer ao olfato que ainda lhe restava para identificar com maior precisão em que ponto da peça eu estava. Até que ele me alcançou. Sentiu minha perna, suspirou aliviado e deitou tombando lateralmente para ficar ao meu lado. A gente não podia — nem queria — perder um só segundo longe da presença um do outro.

Inventamos nossos rituais. Todas as manhãs, Bambi pegava um sol pela janela para aquecer seu corpo magro. Na hora do almoço, eu preparava a papinha sob os olhos atentos de ambos os peludos. O mais velho comia primeiro e, na sequência, o caçula tinha permissão — não minha, mas de Bambino, evidentemente — para se atracar no pote. De dia, fazíamos passeios mais rápidos por causa do vírus que circulava. Bem mais tarde, quando a vizinhança parecia ter se recolhido, dávamos voltas maiores e o pinscherzinho se negava a ficar no chão. Ele queria ser carregado na bolsa e ver o mundo do alto. Às sextas, lá pelo fim da tarde, eu ligava o som e apanhava Bambi no colo com delicadeza. A gente dançava e rodopiava com leveza. Estarmos ali, juntos, vivos, era um golpe de sorte.

Um acumulado de eventualidades tinham permitido que nossos caminhos se cruzassem e que chegássemos até aquele ponto simultaneamente, envelhecendo um com o outro. Existir é um mistério. Por vezes, a gente tem só que fechar os olhos e sentir. Antes que a vida passe.

Além das banalidades do cotidiano, essa fase de convívio intenso da matilha contou com um momento marcante. Para contextualizar, devo explicar que não era só Bambi quem tinha de frequentar o veterinário. Caubói também era submetido, periodicamente, a mexidas e remexidas desses profissionais em seu corpinho gorducho. Já fazia um tempo que queríamos castrá-lo e, quando a oportunidade apareceu, nos organizamos depressa para mandá--lo para a clínica. Milla, Marcelle e outra colega fizeram o procedimento e enviaram o cachorrão de volta para casa em bom estado, mas ainda anestesiado em decorrência dos remédios. O peludão é um bicho deveras expressivo;

quando está chateado, ele não mede esforços para garantir que todos percebam: faz caras e bocas e revira bem os olhos, abaixando cabeça e orelhas. Não há quem não note seu incômodo. Bambi, nessa ocasião, certamente notou; a ponto de até se sentir comovido com o estado de seu irmão mais novo. Ele se deslocou do outro lado da sala, pausadamente e com sacrifício, até se aproximar do caçula. O pequeno encostou o queixo na barriga do companheiro pós-cirúrgico e o lambeu em solidariedade. A miniatura de quase-suricate nos lembrou de que, mesmo que haja raiva, rusgas e desavenças, matilha é para sempre e para todas as horas.

CAPÍTULO (QUASE) 17:
A poesia do (re)viver

Na última semana de julho, já perto do mês em que Bambi completaria dezessete anos (setembro), saímos de férias para o litoral. Como o mundo seguia em isolamento, fizemos o trajeto de carro, para evitar contato com outras pessoas, e alugamos uma casinha pequena com um grande quintal, distante da cidade e de seus tumultos, para ficarmos apenas nós, em matilha, aproveitando uns aos outros. O cãozinho, embora tenha se sentido enraivecido com o longo deslocamento pela estrada para chegar até o mar, uma vez na praia, animou-se com a areia e com o bater das ondas próximo a suas patas. Ele esperneava com um vigor que eu não via há tantas estações, pedindo para sair do colo e ir até o chão, onde se posicionava em meio aos grãos amarelados e fofos e tombava de lado para sentir o sol e, ao mesmo tempo, apreciar a vastidão da água.

Foi um período pacato em que a dupla de orelhudos pôde fazer cachorrices e explorar os tesouros escondidos no quintal. Havia grama, terra, galhos e muita sujeira.

Tudo que cachorro gosta. A chuva caía dia sim, dia não. Em um destes aguaceiros, um enorme osso de brinquedo comestível, que Rodrigo comprara para Caubói, a fim de agradá-lo após a cirurgia de castração, ficou esquecido em alguma poça no jardim. Bambi, ao se deparar com a chance inédita de, na velhice, roer um osso daquele tamanho, não perdeu tempo. Mordiscou as pontas do petiscão e foi, lentamente, saboreando os cantinhos, até que conseguiu chegar ao recheio da guloseima e se fartou com a delícia que, ele sabia, seria só sua. Caubói não tinha um focinho pequeno nem fino o bastante para alcançar o miolo do lanche.

No raiar dos dias, sempre mais ou menos no mesmo horário, as dores, somadas ao frio do amanhecer, atacavam o corpinho de Bambi e ele dava início à sessão matinal de latidos. Eu, sonolentamente, pegava-o no colo, ia até a varanda e deitava na rede com o bichinho posicionado em meus braços. Ficávamos ali; às vezes, poucos minutos, outras vezes, mais de hora, enquanto os incômodos e agonias do tempo não acometiam o peludo de novo. Da mesma forma que ver o cão chegar àquela altura da vida era uma gratificante alegria, também era duro ver um ser tão destemido e enérgico esmorecer diante de nós. Mas sabíamos que era importante segurar sua pata e não deixá-lo cair até quando fosse possível, para ele, resistir.

Durante as tardes, íamos caminhar na areia. Nem sempre levávamos os cães conosco. Nos dias em que eles ficavam sozinhos, notamos que Caubói, em vez de correr pelo amplo gramado ou ir atrás de insetinhos nos fundos da casa, permanecia a todo instante ao lado de Bambi, na sala ou na varanda, do momento em que saíamos até a hora em que voltávamos. Achamos um pouco estranho, mas não suspeitamos que aquilo pudesse ser um indício de qualquer coisa. Quando levávamos os bichos com a gente para tomar banho de mar, era uma diversão sem igual. O grandalhão, que até então não conhecia aquela espécie de piscina de borda infinita, com água salgada, tentava comer ondas e corria freneticamente de um lado para o outro. Bambi, por sua vez, ficava molhando as patas em buracos que cavávamos na areia, perto do quebrar das ondas. Providenciamos para ele uma miniatura de boia em formato de melancia, na qual ele se apoiava para não cair nem correr o risco de mergulhar. Ele gostava mesmo era do sol e, claro, da brisa.

Em uma quarta-feira que parecia tão trivial quanto todas as outras, saímos cedo, entramos no carro e fomos fazer trilhas, para conhecer os balneários próximos. Os cães estavam conosco, de orelhas em pé e olhos atentos. O vento sacolejava as folhas das palmeiras e o mar batia com veemência e irregularidade aqui e acolá. Era um dia nublado, mas, em um instante ou outro, brechas entre as nuvens faziam o sol despontar. Tivemos de atravessar algumas pedras e trechos de areia invadidos pela água, e Bambi ficou desgostoso. Ele chorava feito um filhote, fazendo barulhos diferentes e um pouco engraçados, e empurrava as patas traseiras para baixo com firmeza, querendo alcançar o chão. Deixei que ele ficasse deitado em uma área mais alta da praia. Ele deu duas ou três voltas em torno do próprio corpinho e jogou-se de lado no solo, posicionando-se defronte para o oceano. Fechou os olhinhos e respirou com tranquilidade. Eu não sabia, mas aquela era nossa despedida.

Pouco antes do entardecer, uma friagem tropicalmente invernal recaiu sobre a praia. Estávamos sentados em degraus de areia e madeira improvisados diante de algum estabelecimento que não funcionava fora de temporada. Bambi começou a tremer — como ocorria sempre que ele sentia frio ou raiva e, portanto, era bem frequente. Ele estava de roupa, claro. Mas aquilo não parecia suficiente para contornar o problema. Então o abracei com força, entrelaçando-o bem, e o embalei com suavidade, ao mesmo tempo em que conversava com ele sobre amenidades. Fiz uma voz mais doce do que de costume, para reforçar que ele era meu companheiro querido e, nesse momento, apertei-o contra mim com vontade. Não supus que vivíamos ali nossas últimas horas, após quase duas décadas de colos e afetos. Ele, por sua vez, sabia, certamente. E retribuiu fitando-me com seus olhinhos de amor e admiração. Acho que o peludo queria dizer qualquer coisa, queria avisar. Talvez só quisesse se despedir.

Não sei. Só sei que o silêncio daquele abraço disse tanto sobre nós.

A gente não falava a mesma língua, mas nos entendíamos tão bem.

O que veio a seguir foi uma sequência de tristes desalentos. Depois que saímos da praia, deixamos os bichos na casa e fomos ao mercado. Ao retornarmos, Bambi estava deitadinho em sua cama, apático, acompanhado de um melancólico e apreensivo Caubói. Preocupada, peguei-o no colo e o movi para o sofá, a fim de que ele ficasse melhor protegido do vento. Assim que o depositei sobre o móvel e virei as costas para procurar o contato de uma clínica veterinária, ele teve uma pequena diarréia lá mesmo, no estofado. A cidade era pequena e não havia atendimento para bichos disponível naquele horário da noite.

Fomos até uma farmácia, levando-o conosco, e compramos os remédios que o cão habitualmente tomava em situações de disenteria. Enquanto aplicávamos o medicamento, pareceu que tudo ia ficar bem. Ele estava mais calmo e o corpo ia, aos poucos, restabelecendo o vigor.

De súbito, porém, ele começou a fazer sons diferentes, como se estivesse tossindo. Chegou a expelir algum líquido incolor pela boca. Pensamos que era engasgamento. Fizemos manobras de desengasgue e tentamos também realizar massagem cardíaca no animal. Era como se a cena se estendesse por uma eternidade. Nada adiantava. Ele não respondia. Lá pelas tantas, o bichinho me contemplou com um olhar entre exausto e nostálgico e suspirou. Rodrigo, que o segurava próximo ao chão, sentiu suas patinhas e depois o corpo inteiro ficando moles. Corremos para o carro em uma excursão ataranatada à procura de atendimento veterinário. Segurei Bambi no colo — foi a última vez — e ele me fitou com dificuldade. Creio que ele só queria estar ali, no meu colo, no seu lugar preferido no mundo inteiro, para, enfim, poder dizer adeus.

Não tivemos tempo de virar a esquina. Ele faleceu antes do fim da rua.

Como não podíamos acreditar na efemeridade da existência, insistimos na busca por socorro por extensos minutos. Não sei ao certo quantos. Paramos em todas as lojas e bares da cidade pedindo ajuda e orientações. Até que uma chuva fina começou a cair e eu pedi que Rodrigo parasse o carro. Pressionei Bambi contra o peito e tentei ter coragem de admitir que era o fim. A morte é horrível, não vou romantizá-la. Ela é, porém, inevitável. E temos de viver com isso. Eu costumava pensar que Bambi não morreria tão cedo. Brincava que ele desafiava a morte com seus latidos e, ela, esgotada frente à repetição daqueles ruídos estrondosos, dava meia-volta e desistia de carregá-lo consigo. Mas, em uma noite comum do início do mês de agosto, ela conseguiu.

O morrer é mais doloroso para quem fica. Quem acaba, acaba e pronto. Bambi despediu-se das dores, dos aborrecimentos e das mazelas de um corpo que definha. Não estava fácil manter-se firme. Em pé. E as partidas, irremediavelmente, cruzam a nossa porta e ficam à espreita, prontas para levar quem está aqui há muitas estações. Fizemos uma cerimônia antes da cremação do cão. Os funcionários do crematório ajeitaram o orelhudo de uma forma que ele aparentava estar enfurecido não se sabia bem com o quê. Com a morte? Acho que não. Possivelmente com a saudade. Ele não aceitava se separar da matilha por um par de horas e, bem, aquela situação o impelia a isso.

Ou não. Vai ver a gente é que sabe muito pouco sobre a vida.

Por acaso, na mesma noite em que Bambi se foi, Laura, que gostava de ajudar minha mãe a cuidar do jardim na varanda do apartamento, resolveu plantar uma árvore. Ela arrumou um bocado de terra e dispôs sementes no vaso, o que, rapidamente, resultou em um pé de manga que crescia em ritmo acelerado. Antes de Bambi, eu não conhecia a morte de perto. Entretanto, acho bonita a ideia de que a gente nunca se acaba. Nem a gente nem os bichos ou qualquer outro ser que habita o planeta. A gente vai e depois volta em outras formas. Como se tivéssemos o poder de uma fênix, a gente se regenera, se decompõe, se recompõe. E vem de novo. Como bicho, como planta, como árvore. Como vida. É a poesia do renascer. Do (re)viver.

Plantamos a mangueira de Bambi e lançamos um punhado de cinzas sobre a árvore. Eu queria que ele fosse imortal e, de certa maneira, ele será — porque será fonte de tantas outras vidas. De tantos outros seres. E ele também vai ser, enquanto a gente se lembrar dele, memória. Ele vai seguir entre nós por todo o tempo que contarmos por aí a história do cão que não cabia em si. Ele era assustadoramente corajoso e imensamente pequeno, ainda que sustentasse o gigantismo de quem não tem espaço interno para alocar tanta raiva e valentia, muito menos para guardar tamanha lealdade e afeto. Era um cão que transbordava, nos mais diversos sentidos. Em especial, na direção do amor.

Sem meu amigo ao lado, passei noites em claro, pensando ter escutado seus latidos na madrugada e, quando dormia, acordava em sobressalto, sentindo sua falta. Tive pesadelos feios e sombrios com os medos da finitude que perturbam a humanidade. Certo dia, contudo, Bambi surgiu em meus sonhos. Ele vinha saudável, entrelaçando as patas em seu característico caminhar de passarela, como se não houvesse dor ou tristeza, como se não houvesse fim. Só recomeços. Ao se deparar com uma grama alta, por ser aparada, o peludo deu saltos alegres, cortando a relva com determinação. Ele correu, correu, correu. E tudo pareceu estar em paz.

Conto esta história de uma matilha que ficou sem líder para pedir que você, que tem um peludo por perto, seja cachorro, gato, rato ou suricate, aproveite sem pressa, e também sem perdas de tempo, o momento em que vocês estão aqui, juntos, dividindo um lapso de meses e anos, simultaneamente, neste misterioso mundo. Cuide do seu companheiro até o último instante. Cada segundo vale a pena. Também trago este relato para agradecer ao meu Bambi pelos quase dezesste anos que ele dedicou a nós, de patas, focinho e alma. Foi um privilégio ímpar tê-lo conosco. Agradeço por tantas incontáveis aventuras. Não há palavras para descrever o tamanho de um cão que não cabia em si. Ele também não cabe neste livro. Se ele couber, nem que seja um pouquinho, nos corações e lembranças de vocês, a gente vai poder carregá-lo por aí, para sempre. Ai de quem se recusar a abrir espaço para suas peripécias. Ele é capaz de latir do além e vir lá do paraíso dos cães — caso isso exista — para morder os pés de quem o contrariar. Mas, se você chegou até aqui, provavelmente Bambino também te cativou. Quem sabe você vai passar a ouvir, como eu, imaginários latidos ferozes pela rua... Ou vai passar a andar dentro de casa, olhando para baixo, para não pisar acidentalmente no miúdo?

    Quando a gente é feliz e, de repente, tiram de nós a alegria, depois do vazio, a saudade é preenchida pelas mais doces lembranças. E isso é tudo o que fica.

Esta obra foi composta em Utopia Std 11,5 pt e impressa em
papel Pólen 80 g/m² pela gráfica Paym.